Titre original :
Lucky Break, A Piece of Cake,
The Wonderful Story of Henry Sugar, and *The Swan*
from *The Wonderful Story of Henry Sugar and Six More*
by Roald Dahl published in Puffin Books
by the Penguin Group, 2001

Roald Dahl

COUP DE CHANCE
ET AUTRES NOUVELLES

Traduit de l'anglais
par Jean-François Ménard

Gallimard

LE CYGNE

Pour son anniversaire, Ernie avait reçu en cadeau une carabine 22 long rifle. Ce samedi-là, son père, qui était avachi dans le canapé et regardait déjà la télé à neuf heures et demie du matin, lui dit :

– On va voir ce que tu arriveras à descendre, fils. Rends-toi utile. Essaye de ramener un lapin pour le dîner.

– Il y en a dans le grand champ, de l'autre côté du lac, répondit Ernie. J'en ai vu.

– Alors, va en attraper un, dit son père en enlevant d'entre ses incisives les reliefs de son petit déjeuner à l'aide d'une allumette taillée. Dépêche-toi d'aller nous dégoter un lapin.

– Je t'en ramènerai deux, promit Ernie.

– Et en revenant, ajouta son père, prends-moi un litre de bière brune.

– Donne-moi l'argent, dit-il.

Sans quitter la télé des yeux, son père fouilla dans sa poche pour y dénicher un billet d'une livre.

– Et n'essaye pas de me piquer la monnaie comme tu l'as fait la dernière fois, lança-t-il. Sinon, tu vas voir tes oreilles, anniversaire ou pas.

– T'inquiète pas, répondit Ernie.

– Si tu veux t'entraîner à bien viser avec cette carabine, reprit son père, le mieux, c'est les oiseaux. Essaye de voir combien de moineaux tu peux dégommer, d'accord?

– D'accord, dit Ernie. Des moineaux, il y en a plein les haies, sur la route. Ils sont faciles à descendre.

– Si tu crois que c'est trop facile avec les moineaux, poursuivit le père, essaye les roitelets. Ils sont moitié plus petits et ils ne restent jamais en place. Va donc tirer un roitelet avant de faire le malin avec ta grande gueule.

– Dis donc, Albert, intervint sa femme en levant la tête de son évier. Ce n'est pas très gentil de tuer des petits oiseaux à la saison des nids. Les lapins, ça m'est égal, mais les petits oiseaux en cette saison, c'est autre chose.

– Ferme-la, répliqua le père. On ne te demande pas ton avis. Et toi, mon fils, écoute-moi, ajouta-t-il en s'adressant à Ernie. Ne va pas te promener dans la rue en montrant ta carabine, parce que tu n'as pas de permis. Glisse-la dans la jambe de ton pantalon jusqu'à ce que tu sois arrivé en pleine campagne, compris?

– T'inquiète pas, dit-il.

Il prit la carabine et la boîte de cartouches, et sortit voir ce qu'il pourrait tuer. C'était un grand gaillard mal dégrossi qui fêtait ce jour-là ses quinze ans. Comme son père, chauffeur de camion, il avait de petits yeux fendus et rapprochés au sommet de son nez. Sa bouche était molle, ses lèvres souvent humides. Élevé dans une maison où la violence physique était monnaie courante, il se montrait lui-même extrêmement brutal. Le samedi après-midi, il prenait le train ou le car avec une bande d'amis pour aller voir des matches de football et s'ils ne trouvaient pas l'occasion de participer à une bagarre sanglante, ils estimaient avoir perdu leur journée. À la sortie de l'école, il prenait un malin plaisir à attraper des garçons plus petits et à leur tordre le bras derrière le dos en les obligeant à proférer des insultes et des grossièretés contre leurs propres parents.

– Aïe! S'il te plaît, Ernie, non! S'il te plaît!

– Dis-le ou je t'arrache le bras!

Ils finissaient toujours par dire ce qu'il exigeait. Ensuite, il tordait une dernière fois le bras de sa victime et celle-ci s'en allait en pleurant.

Le meilleur ami d'Ernie s'appelait Raymond. Il habitait quatre maisons plus loin et lui aussi était grand pour son âge. Mais alors qu'Ernie était lourd et gauche, Raymond était un garçon de haute taille, mince et musclé.

Parvenu devant la maison de Raymond, Ernie enfonça deux doigts dans sa bouche et lança un long coup de sifflet strident. Raymond sortit.

– Regarde ce que j'ai eu pour mon anniversaire, dit Ernie en montrant la carabine.

– Bon Dieu! s'exclama Raymond. On doit pouvoir rigoler avec ça.

– Alors viens. On va chasser le lapin dans le grand champ, derrière le lac.

Les deux garçons se mirent en chemin. C'était un samedi matin du mois de mai et la campagne était magnifique autour du petit village où ils habitaient. Les marronniers étaient en fleurs et les aubépines parsemaient les haies de leur blancheur. Pour aller vers le champ aux lapins, Ernie et Raymond devaient suivre sur près d'un kilomètre un étroit chemin bordé de feuillages. Il leur fallait ensuite traverser la voie ferrée et contourner le grand lac où vivaient des canards sauvages, des poules d'eau, des foulques et des merles à plastron. De l'autre côté du lac, par-delà la colline, s'étendait le champ aux lapins. C'était un terrain privé qui appartenait à Mr Douglas Highton et le lac lui-même constituait un sanctuaire pour les oiseaux aquatiques.

Tout au long du chemin, ils se passèrent la carabine à tour de rôle, visant de petits oiseaux dans les haies. Ernie tira un bouvreuil et une fauvette. Raymond abattit un deuxième bouvreuil, une grisette et un bruant jaune. Chaque fois qu'ils tuaient un oiseau, ils l'attachaient par les pattes à une longue ficelle. Raymond ne sortait jamais de chez lui sans emporter dans la poche de son blouson une grosse pelote de ficelle et un couteau. À présent, cinq oiseaux pendaient le long de la ficelle.

– Tu sais quoi? On pourrait les manger, suggéra Raymond.

– Tu dis n'importe quoi, répliqua Ernie. Il n'y a pas assez de viande là-dessus pour nourrir un cloporte.

– Bien sûr que si, affirma Raymond. Les Frenchies en mangent et les Ritals aussi. C'est Mr Sanders qui nous en a parlé en classe. Il nous a dit que les Frenchies et les Ritals les attrapent par millions dans des filets et qu'après, ils les mangent.

– Bon, d'accord, admit Ernie. On va voir combien on peut en attraper. On les ramènera à la maison et on les mettra dans le civet de lapin.

À mesure qu'ils avançaient sur le chemin, ils tiraient sur tous les petits oiseaux qu'ils voyaient.

Lorsqu'ils arrivèrent à la voie ferrée, il y en avait quatorze accrochés à la ficelle.

– Hé, murmura Ernie en tendant son long bras. Regarde là-bas.

Il y avait un bosquet d'arbres et de buissons au bord de la voie ferrée et à côté de l'un des buissons se tenait un jeune garçon. Il observait à l'aide d'une paire de jumelles les branches d'un vieil arbre qui se dressait au-dessus de lui.

– Tu sais qui c'est? dit Raymond à voix basse. C'est ce petit crétin de Watson.

– Tu as raison! chuchota Ernie. C'est Watson, la honte de l'humanité!

Peter Watson avait toujours été l'ennemi. Ernie et Raymond le détestaient car il était leur contraire presque en toute chose. Son corps était petit et frêle. Il avait des taches de son sur le visage et portait des lunettes à verres épais. C'était un brillant élève, qui était déjà au collège à treize ans seulement. Il avait une passion pour la musique et jouait très bien du piano. En revanche, il n'était pas doué pour le sport. Il était d'un naturel calme et poli. Ses vêtements, bien que rapiécés et raccommodés, restaient toujours propres. Quant à son père, il ne conduisait pas de camion et n'allait pas à l'usine. Il travaillait dans une banque.

– On va lui faire peur, à ce petit morveux, chuchota Ernie.

Les deux grands s'approchèrent silencieusement du garçon plus petit qui ne les avait pas vus arriver car il était toujours occupé à regarder à travers ses jumelles.

– Haut les mains! cria Ernie en pointant sa carabine sur lui.

Peter Watson sursauta. Il abaissa ses jumelles et fixa les deux intrus à travers ses lunettes.

– Allez! s'exclama Ernie. Mains en l'air!

– À ta place, j'éviterais de pointer cette carabine sur quelqu'un.

– C'est *nous* qui donnons les ordres! répliqua Ernie.

– Alors, mains en l'air, reprit Raymond, si tu ne veux pas prendre une balle dans le ventre!

Peter Watson resta immobile, tenant des deux mains ses jumelles devant lui. Il regarda Raymond. Puis Ernie. Il n'avait pas peur mais il savait qu'il ne fallait pas faire l'idiot avec ces deux-là. Il avait déjà eu à subir leurs attentions au cours des années et en avait passablement souffert.

– Qu'est-ce que vous voulez? demanda-t-il.

– *Je veux que tu lèves les mains!* hurla Ernie. Tu ne comprends pas l'anglais?

Peter Watson ne bougea pas.

– Je compte jusqu'à cinq, dit Ernie. Si à cinq, tu n'as pas levé les mains, je t'en colle une dans le ventre. Un... Deux... Trois...

Lentement, Peter Watson leva les bras au-dessus de sa tête. C'était la seule chose raisonnable à faire. Raymond avança d'un pas et lui arracha les jumelles des mains.

– Qu'est-ce que c'est que ça? lança-t-il sèchement. Qui tu espionnes?

– Personne.

– Ne mens pas, Watson. Ces trucs-là servent à espionner les gens! Je parie que c'est nous que tu espionnais! C'est ça, hein? Avoue!

– Je ne vous aurais sûrement pas espionnés.

– Donne-lui une claque, dit Ernie. Pour lui apprendre à nous mentir.

– C'est ce que je vais faire, répondit Raymond. Je me prépare.

Peter Watson songea à s'enfuir. Mais sa seule possibilité, c'était de leur tourner le dos et de courir à toutes jambes, ce qui n'aurait servi à rien. Ils l'auraient rattrapé en quelques secondes. Et s'il appelait au secours, personne ne l'entendrait. Il n'avait donc d'autre choix que de rester calme et d'essayer de leur parler pour se sortir de cette situation.

– Garde les mains en l'air! aboya Ernie en balançant doucement le canon de la carabine d'un côté à l'autre, comme il l'avait vu faire par des gangsters à la télévision. Allez, mon bonhomme, tends les bras bien haut!

Peter obéit.

– Alors, qui est-ce que tu espionnais? demanda
Raymond. Raconte!

– J'observais un pivert, répondit Peter.

– Un quoi?

– Un pivert mâle. Il essayait de trouver des larves
dans le tronc de ce vieil arbre mort.

– Où il est? interrogea Ernie d'un ton sec en levant
sa carabine. Je vais le descendre.

– Sûrement pas, répliqua Peter en regardant les
minuscules oiseaux accrochés à la ficelle que Raymond portait sur son épaule. Il s'est envolé dès qu'il
t'a entendu crier. Les piverts sont très timides.

– Et pourquoi tu le regardais? demanda Raymond
d'un air soupçonneux. À quoi ça sert? Tu n'as rien de
mieux à faire?

– C'est amusant d'observer les oiseaux, dit Peter.
Beaucoup plus amusant que de leur tirer dessus.

– Écoute-moi ce petit prétentieux! s'écria Ernie.
Alors, tu n'aimes pas qu'on tire sur les oiseaux, hein?
C'est ce que tu veux dire?

– Je trouve que ça n'a pas de sens.

– Rien de ce qu'on fait ne te plaît, c'est bien ça?
reprit Raymond.

Peter ne répondit pas.

– Eh bien, je vais te dire quelque chose, poursuivit
Raymond. Nous non plus, ça ne nous plaît pas, ce que
tu fais.

Peter commençait à avoir mal aux bras. Il décida de prendre le risque. Lentement, il les abaissa le long de ses flancs.

– *En l'air!* lui cria Ernie. Lève les mains!

– Et si je refuse?

– Bon Dieu! Tu ne manques pas de culot, toi! lança Ernie. Je te répète pour la dernière fois que si tu ne lèves pas les mains, je tire!

– Ce serait un acte criminel, dit Peter. Vous auriez affaire à la police.

– Et toi, tu aurais affaire à l'hôpital! répliqua Ernie.

– Vas-y, tire, reprit Peter. Après, ils t'enverront à Borstal. C'est une prison.

Il vit Ernie hésiter.

– Tu cherches vraiment les ennuis, hein? dit Raymond.

– Tout ce que je cherche, c'est qu'on me laisse tranquille, répondit Peter. Je ne vous ai pas fait de mal.

– Tu es un petit morveux prétentieux, dit Ernie. Voilà exactement ce que tu es, un petit morveux prétentieux.

Raymond se pencha et murmura quelque chose à l'oreille d'Ernie. Celui-ci l'écouta attentivement. Puis il se donna une claque sur la cuisse et s'exclama :

– Ça me plaît! C'est une idée géniale!

Ernie posa sa carabine sur le sol puis s'avança vers le garçon chétif. Il le saisit brutalement et le projeta à terre. Raymond sortit de sa poche sa pelote de ficelle et en coupa un morceau. Tous deux obligèrent le garçon à mettre ses mains devant lui et lui attachèrent solidement les poignets.

– Les jambes, maintenant, dit Raymond.

Peter se débattit et reçut un coup de poing dans le ventre. Le souffle coupé, il resta étendu sans bouger. Ensuite, ils lui lièrent les chevilles. Il était à présent ficelé comme une volaille et entièrement à leur merci.

Ernie ramassa sa carabine puis, de son autre main, attrapa Peter par un bras. Raymond saisit son autre bras et tous deux traînèrent le garçon sur l'herbe, en direction de la voie ferrée.

Peter resta totalement silencieux. Quelles que soient leurs intentions, leur parler ne lui serait d'aucune aide.

Ils traînèrent leur victime au bas du talus puis sur la voie elle-même. L'un d'eux prit alors Peter par les bras, l'autre par les pieds. Ils le soulevèrent et le posèrent entre les rails, dans le sens de la longueur.

– Vous êtes fous! protesta Peter. Vous ne pouvez pas faire une chose pareille!

– Qui dit qu'on peut pas? On va simplement te donner une petite leçon pour que tu deviennes un peu moins insolent.

– Encore de la ficelle, demanda Ernie.

Raymond sortit sa pelote et les deux garçons entreprirent d'attacher leur victime de telle sorte qu'il lui soit impossible de se tortiller pour essayer de se dégager. Ils y arrivèrent en lui passant autour de chaque bras un morceau de ficelle dont ils nouèrent l'autre extrémité sous les rails. Ils l'attachèrent également par la taille et les chevilles. Lorsqu'ils eurent terminé, Peter Watson était ligoté, impuissant, et pratiquement immobile entre les deux rails. Sa tête et ses pieds étaient les seules parties de son corps qu'il pouvait encore bouger, dans une certaine limite.

Ernie et Raymond reculèrent pour contempler leur ouvrage.

– On a fait un bon travail, dit Ernie.

– Sur cette ligne, il y a un train toutes les demi-heures, ajouta Raymond. On n'aura pas longtemps à attendre.

– C'est un meurtre! s'écria le garçon au corps frêle étendu entre les rails.

– Pas du tout, répliqua Raymond. Ça n'a rien à voir.

– Détachez-moi! S'il vous plaît, détachez-moi! Si un train arrive, je serai tué sur le coup!

– Si tu te fais tuer, petit bonhomme, déclara Ernie, ce sera entièrement ta faute et je vais te dire pourquoi. Il ne faut surtout pas relever la tête comme tu le fais en ce moment, sinon, c'est fini pour toi, mon pote! Tu n'as qu'à rester bien à plat et peut-être que tu t'en sortiras. Ou alors peut-être pas, parce que je ne sais pas exactement combien il y a de hauteur sous un train. Tu sais ça, toi, Raymond, combien il y a de hauteur sous un train?

– Pas beaucoup, ils sont faits pour rouler tout près du sol.

– Peut-être que ce sera suffisant, ou peut-être pas, dit Ernie.

– Voilà ce qu'on pourrait dire, reprit Raymond. Il y a sans doute une hauteur suffisante pour quelqu'un d'*ordinaire*, comme moi, ou comme toi, Ernie. Mais pour Mr Watson, je n'en suis pas sûr et je vais t'expliquer pourquoi.

– Vas-y, raconte, l'encouragea Ernie.

– Mr Watson, ici présent, a une très grosse tête, voilà pourquoi. Il a même une tête si enflée qu'à mon avis le fond du train va lui racler la peau, de toute façon. Remarque bien, je ne dis pas qu'il aura la tête arrachée. En fait, je suis même presque sûr que ça n'arrivera pas. Mais il va avoir droit à un bon ravalement sur la figure. Ça, tu peux en être certain.

– Je crois que tu as raison, approuva Ernie.

– Ça ne sert à rien, poursuivit Raymond, d'avoir une tête enflée avec un gros cerveau à l'intérieur quand on est attaché à des rails au moment où un train arrive. J'ai pas raison, Ernie?

– Tu as raison, admit celui-ci.

Les deux garçons remontèrent sur le talus et s'assirent dans l'herbe, derrière des buissons. Ernie sortit un paquet de cigarettes et ils se mirent à fumer.

Peter Watson, attaché entre les rails, savait à présent qu'ils n'allaient pas le libérer. Ces deux-là étaient des fous dangereux. Ils ne vivaient que dans l'instant, jamais ils n'envisageaient les conséquences de leurs actes. « Il faut essayer de rester calme et réfléchir », pensa Peter. Il se tint immobile, considérant ses chances de s'en sortir. Elles étaient plutôt bonnes. La partie la plus haute de son visage était son nez. Il estima qu'à son extrémité, il devait dépasser d'une dizaine de centimètres le niveau des rails. Était-ce trop ? Il ne savait pas très bien quelle était la garde au sol de ces nouveaux trains à moteur Diesel. Pas très élevée, sûrement. Sa tête reposait sur le ballast, entre deux traverses. Il devait essayer de creuser le gravier le plus possible. Il commença à tortiller la tête latéralement, repoussant les cailloux du ballast et formant progressivement un léger creux, une sorte de trou dans le gravier. Lorsqu'il eut terminé, il compta que la hauteur de sa tête par rapport aux rails avait dû diminuer de cinq centimètres. Ce serait suffisant. Mais les pieds ? Eux aussi pointaient verticalement. Il y remédia en les penchant d'un côté, les chevilles attachées, de telle sorte qu'ils soient presque à plat.

Il attendit alors que le train arrive.

Le conducteur le verrait-il? C'était peu probable car il s'agissait de la voie principale qui reliait Londres, Doncaster, York, Newcastle et l'Écosse. Sur cette ligne, les locomotives étaient énormes, très longues, et le machiniste installé dans une cabine située à l'arrière, d'où il se contentait de surveiller les signaux. À cet endroit de la voie, les trains roulaient à cent trente à l'heure environ. Peter le savait. Il était souvent venu s'asseoir sur le talus pour les regarder passer. Quand il était plus jeune, il notait leur nombre dans un petit carnet. Parfois, les locomotives portaient sur leur flanc un nom inscrit en lettres d'or.

De toute façon, pensa-t-il, ce qui l'attendait serait terrifiant. Le bruit serait assourdissant, le souffle du train lancé à cent trente à l'heure ne serait pas non plus très amusant à subir. Il se demanda un instant s'il n'y aurait pas, au moment où le train passerait, un phénomène d'aspiration qui risquerait de le soulever. C'était possible. Aussi, quoi qu'il arrive, il devait se concentrer sur la nécessité de coller tout son corps contre le sol. Ne pas se relâcher. Se maintenir raide, tendu, se plaquer par terre.

– Comment ça va, face de rat? lança l'un des deux garçons assis en haut du talus. Quel effet ça fait d'attendre l'exécution capitale?

Il résolut de ne pas répondre. Il regarda le ciel bleu, au-dessus de sa tête et vit un cumulus solitaire dériver lentement de gauche à droite. Pour s'empêcher de penser à ce qui allait se produire bientôt, il joua à un jeu que son père lui avait appris longtemps auparavant, par une chaude journée d'été, alors qu'ils étaient allongés dans l'herbe au sommet des falaises de Beachy Head. Le jeu consistait à chercher la forme d'un visage dans les replis, les ombres, les volutes d'un cumulus. Si on observait avec suffisamment d'intensité, avait dit son père, on pouvait toujours discerner un visage dans le ciel. Peter promena lentement son regard sur le nuage. Dans un coin, il découvrit un homme borgne avec une barbe. Ailleurs, il y avait une sorcière hilare avec un long menton. Un avion traversa le nuage, volant d'est en ouest. C'était un petit monoplan à aile haute, au fuselage rouge. « Sans doute un vieux Piper Cub », pensa-t-il. Il le suivit des yeux jusqu'à ce qu'il disparaisse.

Puis, soudainement, il entendit une étrange petite vibration qui provenait des rails, de chaque côté de sa tête. Un bruit très faible, à peine audible, tel un infime bourdonnement, un murmure ronronnant qui semblait prendre sa source très loin et remonter le long des rails.

« C'est un train », se dit-il.

La vibration des rails devint plus intense, de plus en plus sonore. Il releva la tête et regarda la voie qui s'étendait devant lui en une ligne parfaitement droite sur deux kilomètres de distance, peut-être plus. Il vit alors le train. Tout d'abord, ce fut un tout petit point, une petite tache noire au loin, mais pendant les quelques secondes où il garda la tête levée, le point grandit rapidement, il commença à prendre forme et bientôt ce ne fut plus une simple tache noire mais l'avant énorme, massif, bombé, d'une locomotive Diesel. Peter laissa retomber sa tête et l'enfonça de toutes ses forces dans le petit trou qu'il avait pratiqué au milieu du ballast. Il tourna les pieds sur le côté, ferma étroitement les paupières et essaya d'enfoncer son corps dans le sol.

Le train passa au-dessus de lui telle une explosion. C'était comme si on avait tiré un coup de feu dans sa tête. Accompagnant la déflagration, un vent hurlant, déchirant, semblable à une tornade, souffla dans ses narines et jusque dans ses poumons. Le bruit lui fracassait les tympans. Le vent le faisait suffoquer. Il eut l'impression d'être dévoré et avalé vivant dans le ventre d'un monstre hurleur et sanguinaire.

Puis, soudain, ce fut terminé. Le train était passé. Peter ouvrit les yeux. Il vit le ciel bleu et le gros nuage blanc qui continuait de flotter au-dessus de sa tête. Tout était fini, à présent. Il avait réussi. Il avait survécu.

– Raté, dit une voix.

– Quel dommage, ajouta une autre.

Il lança un regard de côté et vit les deux grosses brutes debout au-dessus de lui.

– Libère-le, dit Ernie.

Raymond trancha les ficelles qui l'attachaient à chacun des rails.

– Détache-lui les pieds, qu'il puisse marcher, mais laisse-lui les mains liées, poursuivit Ernie.

Raymond coupa la ficelle autour de ses chevilles.

– Debout, ordonna Ernie.

Peter se releva.

– Tu es toujours notre prisonnier, mon pote, dit Ernie.

– Et les lapins ? demanda Raymond. Je croyais qu'on allait essayer de tirer des lapins ?

– On a tout le temps pour ça, répondit Ernie. Je me suis dit qu'on pourrait jeter le petit morveux dans le lac, en passant.

– Très bien, approuva Raymond. Ça va le rafraîchir.

– Vous vous êtes bien amusés, intervint Peter. Pourquoi vous ne me laissez pas tranquille, maintenant ?

– Parce que tu es notre prisonnier, répliqua Ernie. Et tu n'es pas un prisonnier ordinaire. Tu es un espion. Tu sais ce qui arrive aux espions quand ils se font prendre ? On les met contre le mur et on les fusille.

Peter n'ajouta pas un mot. Il ne servait à rien de les provoquer. Moins il en disait, moins il leur résistait, plus il avait de chances de s'en tirer indemne. Mais dans l'état d'esprit où ils se trouvaient, ils étaient capables de lui infliger des blessures graves, cela ne faisait aucun doute. Il savait qu'Ernie avait un jour cassé le bras du petit Wally Simpson à la sortie de l'école et que les parents de Wally étaient allés voir la police. Il avait également entendu Raymond se vanter de « mettre le pied dedans », selon ses propres termes, quand ils allaient voir un match de football. Il avait compris que l'expression signifiait donner des coups de pied dans la figure ou le corps de quelqu'un tombé par terre. Ces deux-là étaient des *hooligans* et, d'après ce que Peter lisait presque chaque jour dans le journal de son père, ils n'étaient pas les seuls, loin de là. Le pays tout entier semblait rempli de *hooligans*. Ils vandalisaient les trains, se battaient en bandes à coups de couteau, de chaînes de vélo et de barres de fer, attaquaient des passants, surtout d'autres jeunes isolés, et détruisaient les cafés le long des rues. Ernie et Raymond n'étaient peut-être pas encore des *hooligans* à part entière, mais ils étaient bien partis pour le devenir.

Peter pensa donc qu'il valait mieux continuer à se montrer passif. Ne pas les insulter. Ne pas les énerver, de quelque manière que ce soit. Et surtout, ne pas essayer de les affronter physiquement. Il pouvait ainsi espérer qu'ils finiraient par se lasser de leurs petits jeux cruels et décideraient plutôt d'aller tirer des lapins.

Les deux garçons avaient pris Peter chacun par un bras et l'entraînaient à travers champ, en direction du lac. Les poignets du prisonnier étaient toujours attachés devant lui. Ernie tenait la carabine dans sa main libre. Raymond portait les jumelles qu'il avait prises à Peter. Bientôt, ils arrivèrent au bord du lac.

Il était très beau dans la lumière dorée de cette matinée du mois de mai. D'une forme longue, plutôt étroite, il était bordé par endroits de grands saules pleureurs. Au milieu, l'eau était claire et propre mais une forêt de roseaux et de joncs s'étendait près de ses rives.

Ernie et Raymond poussèrent leur prisonnier jusqu'au bord du lac puis s'arrêtèrent.

– Maintenant, dit Ernie, voilà ce que je propose. Tu le prends par les bras, moi par les jambes, et à trois, on jette ce petit crevard le plus loin possible dans les roseaux, là où il y a une jolie boue bien épaisse. Qu'est-ce que tu en penses?

– L'idée me plaît, répondit Raymond. On lui laisse les mains attachées, d'accord?

– D'accord, approuva Ernie. Ça te va, petit morveux?

– Si c'est ce que vous voulez, je ne peux pas y faire grand-chose, dit Peter, en essayant d'adopter un ton calme et froid.

– Essaye donc de nous en empêcher, lança Ernie avec un grand sourire, tu verras ce qui se passera.

– Une dernière question, reprit Peter. Est-ce qu'il vous est déjà arrivé de vous en prendre à quelqu'un d'aussi grand que vous?

Au moment même où il prononça ces mots, il comprit qu'il commettait une erreur. Il vit les joues d'Ernie s'empourprer et une petite flamme menaçante dansa dans ses yeux noirs et rétrécis.

Heureusement, à cet instant, Raymond sauva la situation.

– Hé! Regarde un peu là-bas cet oiseau qui nage dans les roseaux! cria-t-il, le doigt tendu. On va le descendre!

C'était un colvert mâle avec un bec jaune bombé en forme de cuillère et une tête d'un vert émeraude, le cou entouré d'un anneau de couleur blanche.

– Ceux-là, au moins, on peut *vraiment* les manger! poursuivit Raymond. C'est un canard sauvage.

– Je vais l'avoir! s'exclama Ernie.

Il lâcha le bras du prisonnier et épaula sa carabine.

– Nous sommes dans une réserve d'oiseaux, dit Peter.

– Une quoi? demanda Ernie en abaissant le canon.

– Personne n'a le droit de tirer sur les oiseaux, ici. C'est strictement interdit.

– Et qui est-ce qui l'interdit ?

– Le propriétaire, Mr Douglas Highton.

– Tu rigoles ? répliqua Ernie.

Il releva le canon de sa carabine. Il tira. Le canard s'affaissa dans l'eau.

– Va le chercher, ordonna Ernie à Peter. Détache-lui les mains, Raymond, comme ça, il nous servira de chien de chasse pour aller chercher les oiseaux qu'on aura tués.

Raymond sortit son couteau et coupa les liens qui attachaient les poignets du jeune garçon.

– Allez ! lança sèchement Ernie. Vas-y, rapporte.

La mort de ce beau canard avait beaucoup choqué Peter.

– Je refuse, dit-il.

De sa main ouverte, Ernie le frappa violemment au visage. Peter resta debout mais un filet de sang commença à couler de son nez.

– Sale petit crevard ! s'écria Ernie. Si tu refuses, je vais te faire une promesse. La voilà, la promesse : tu dis non encore une fois, rien qu'une fois, et je te fais sauter une par une toutes tes jolies petites dents bien blanches, bien brillantes, en haut et en bas. Tu m'as compris ?

Peter resta silencieux.

– Réponds-moi! aboya Ernie. Tu m'as compris?

– Oui, dit Peter à voix basse. J'ai compris.

– Alors, vas-y, ordonna Ernie.

Peter descendit de la rive, dans l'eau boueuse, avança parmi les roseaux et ramassa le canard. Il le rapporta, Raymond le lui prit des mains et attacha ses pattes avec un morceau de ficelle.

– Maintenant qu'on a un chien pour nous ramener le gibier, voyons si on peut se dégoter d'autres canards, dit Ernie.

Il marcha le long de la rive, sa carabine à la main, scrutant les roseaux. Soudain, il s'arrêta, s'accroupit, mit un doigt sur ses lèvres et murmura :

– Chut…

Raymond alla le rejoindre. Peter se trouvait quelques mètres plus loin, son pantalon couvert de boue jusqu'aux genoux.

– Regarde là! chuchota Ernie en montrant une épaisse touffe de joncs. Tu vois ce que je vois?

– Nom d'un chien! s'écria Raymond. Quelle beauté!

Un peu plus loin, Peter jeta à son tour un coup d'œil parmi les roseaux et vit aussitôt ce qu'ils regardaient. C'était un cygne, blanc, magnifique, couvant tranquillement dans son nid. Le nid lui-même était constitué d'un énorme tas de joncs et de roseaux qui s'élevait à plus de cinquante centimètres au-dessus de l'eau. Le cygne était au sommet de ce monticule, telle la grande dame blanche du lac. Les sens en alerte, vigilante, sa tête était tournée vers les garçons qui l'observaient depuis la rive.

– Qu'est-ce que tu dis de *ça*? murmura Ernie. C'est mieux que les canards, non?

– Tu crois que tu pourrais l'avoir? demanda Raymond.

– Bien sûr que je peux. Je vais lui faire un trou en pleine tronche.

Peter sentit une rage débordante monter en lui. Il s'avança vers les deux garçons qui le dominaient de toute leur taille.

– Si j'étais vous, je ne tirerais pas sur ce cygne, dit-il en s'efforçant de parler calmement. Les cygnes sont les oiseaux les mieux protégés d'Angleterre.

– Et qu'est-ce que ça peut faire? lui demanda Ernie d'un ton railleur et méprisant.

– Je vais te dire autre chose, poursuivit Peter en renonçant à toute prudence. Personne n'a le droit de tirer sur un oiseau en train de couver dans son nid. Absolument personne! Peut-être même qu'il y a déjà des petits sous elle! Vous ne pouvez pas faire ça!

– Et qui dit qu'on ne peut pas? interrogea Raymond en ricanant. C'est Mister petit morveux Peter Watson qui le dit?

– Tout le pays le dit, répliqua Peter. La loi le dit, la police aussi et *tout le monde*!

– Eh bien moi, je ne le dis pas! trancha Ernie en levant sa carabine.

– Ne fais pas ça! cria Peter. S'il te plaît, arrête!

Bang! Le coup partit. La tête élégante du cygne reçut la balle de plein fouet et le long cou blanc s'affaissa sur le côté du nid.

– Je l'ai eu! s'écria Ernie.

– Joli coup! s'exclama Raymond.

Ernie se tourna vers Peter qui était resté là, tout petit, le teint pâle, littéralement pétrifié.

– Maintenant, va le chercher, ordonna-t-il.

Cette fois encore, Peter ne bougea pas.

Ernie s'approcha du jeune garçon, se pencha vers lui et colla son visage contre le sien.

– Je te le répète pour la dernière fois, murmura-t-il, menaçant. Va le chercher!

Des larmes coulèrent sur les joues de Peter tandis qu'il descendait lentement de la rive et entrait dans l'eau. Il avança en pataugeant jusqu'au cygne mort et le prit tendrement dans ses deux mains. Au-dessous, il y avait deux petits cygnes minuscules, le corps recouvert d'un duvet jaune. Ils étaient serrés l'un contre l'autre au milieu du nid.

– Il y a des œufs? cria Ernie, sur la rive.

– Non, répondit Peter. Rien.

Il pensa qu'il y avait une chance pour que, à son retour, le cygne mâle continue à nourrir les petits lui-même s'ils restaient dans le nid. Peter ne voulait surtout pas les confier aux bons soins d'Ernie et de Raymond.

Il rapporta le cygne mort sur la berge et le déposa par terre. Puis il se releva et fit face aux deux autres. Ses yeux, toujours humides de larmes, étincelaient de fureur.

– Ce que vous avez fait est répugnant! s'écria-t-il. C'est un acte de vandalisme stupide et absurde! Vous êtes deux idiots ignorants! C'est vous qui auriez dû mourir à la place du cygne! Vous ne méritez pas d'être vivants!

Il resta là, se redressant aussi haut qu'il le pouvait, magnifique dans sa rage, face aux deux garçons plus grands que lui, ne se souciant plus de ce qu'ils pourraient lui faire.

Cette fois, Ernie s'abstint de le frapper. Il parut tout d'abord très légèrement interloqué par cet accès de colère, mais il se reprit vite. À présent, ses lèvres molles, humides, s'étiraient en un ricanement sournois et ses petits yeux rapprochés se mirent à briller d'une lueur malfaisante.

– Alors, comme ça, tu aimes les cygnes? demanda-t-il d'une voix doucereuse.

– J'aime les cygnes et je vous hais tous les deux! s'exclama Peter.

– Et est-ce que je me tromperais, poursuivit Ernie, toujours ricanant, est-ce que je me tromperais vraiment si je disais que tu préférerais voir ce cygne vivant plutôt que mort?

– C'est une question stupide! répliqua Peter.

– Il a besoin d'une bonne claque dans la figure, dit Raymond.

– Attends, répondit Ernie. Je suis en train de faire un petit exercice.

Il se tourna à nouveau vers Peter.

– Donc, si je pouvais redonner vie à ce cygne, s'il pouvait recommencer à voler dans le ciel, tu serais content. C'est bien ça?

– Encore une question stupide! lança Peter. Pour qui tu te prends?

– Je vais te dire pour qui je me prends, répliqua Ernie. Je suis un magicien, voilà ce que je suis. Et simplement pour que tu sois heureux et satisfait, je vais réaliser un tour de magie qui va ramener ce cygne à la vie et lui permettre de voler à nouveau dans le ciel.

– Tu racontes n'importe quoi! protesta Peter. Je m'en vais.

Il tourna les talons et commença à s'éloigner.

– Attrape-le! dit Ernie.

Raymond s'empara de lui.

– Laisse-moi tranquille! hurla Peter.

Raymond le gifla brutalement.

– Allons, allons, sois gentil avec tonton, conseilla-t-il, sauf si tu tiens à ce qu'on te fasse très mal.

– Donne-moi ton couteau, demanda Ernie en tendant la main.

Raymond lui confia son couteau.

Ernie s'agenouilla près du cygne mort et déploya l'une de ses immenses ailes.

– Regarde ça, dit-il.

– C'est quoi, ta grande idée? interrogea Raymond.

– Attends de voir, répondit Ernie.

À l'aide du couteau, il entreprit de trancher la grande aile blanche pour la séparer du corps du cygne. Ernie repéra l'endroit où l'os s'articulait au flanc de l'oiseau. Il enfonça son couteau au niveau de la jointure et sectionna le tendon. La lame très aiguisée coupait bien et en quelques instants, l'aile tout entière se détacha.

Ernie retourna le cygne et trancha l'autre aile.

– Ficelle, dit-il en tendant la main vers Raymond.

Celui-ci, qui maintenait Peter par le bras, observait, fasciné.

– Où est-ce que tu as appris à dépecer un oiseau comme ça? demanda-t-il.

– Je me suis entraîné avec des poulets, répondit Ernie. On les piquait à la ferme des Steven, on les coupait en morceaux et on les fourguait dans une boutique d'Aylesbury. Passe-moi la ficelle.

Raymond lui donna la pelote. Ernie coupa six morceaux de ficelle d'environ un mètre chacun.

Plusieurs os très solides s'articulent sur le bord supérieur de l'aile du cygne. Ernie prit l'une des ailes et y attacha sur toute sa longueur l'extrémité de chacune des ficelles. Lorsqu'il eut terminé, il souleva l'aile d'où pendaient les six morceaux de ficelle puis dit à Peter :

– Tends le bras.

– Tu es complètement fou! lui cria le jeune garçon. Tu as perdu la tête!

– Oblige-le à tendre le bras, ordonna Ernie à Raymond.

Raymond leva son poing devant le visage de Peter et lui tapota légèrement le nez.

– Tu vois ça? dit-il. Eh bien, je vais te l'écraser sur la figure si tu ne fais pas exactement ce qu'on te demande. Alors, tu vas tendre le bras, comme un gentil garçon.

Peter sentit sa résistance s'effondrer. Il ne pouvait tenir plus longtemps face à ces deux-là. Pendant quelques secondes, il fixa Ernie. Avec ses minuscules yeux noirs qui semblaient collés l'un contre l'autre, il donnait l'impression d'être capable de tout s'il se mettait vraiment en colère. Peter sentait qu'en cet instant, il aurait pu facilement tuer quelqu'un s'il perdait son calme. Ernie, l'enfant attardé et dangereux, s'était inventé un jeu et il serait très imprudent de lui gâcher son plaisir.

Peter tendit le bras.

Ernie entreprit alors de nouer un par un les six morceaux de ficelle autour du bras de Peter. Quand il eut terminé, l'aile blanche du cygne était solidement attachée le long du bras.

– Pas mal, non? dit Ernie en reculant d'un pas pour contempler son travail.

– Maintenant, l'autre, dit Raymond qui comprenait ce qu'Ernie voulait faire. Il ne pourrait pas voler dans le ciel avec une seule aile, pas vrai?

– La deuxième arrive, annonça Ernie.

Il s'agenouilla à nouveau et noua six autres morceaux de ficelle au bord supérieur de la deuxième aile. Puis il se releva.

– Voyons le deuxième bras, dit-il.

Peter, qui avait envie de vomir et se sentait ridicule, tendit son autre bras. Ernie y attacha solidement l'aile sur toute sa longueur.

– Et voilà! s'écria Ernie, qui tapa dans ses mains et dansa une petite gigue dans l'herbe. On a de nouveau un vrai cygne bien vivant! Je t'ai dit que j'étais un magicien. Je t'ai dit que j'allais réaliser un tour de magie et faire revivre ce cygne pour qu'il puisse voler dans le ciel. Je te l'ai dit, hein?

Peter resta debout au bord du lac, sous le soleil de cette magnifique matinée de mai, les énormes ailes flasques et légèrement ensanglantées pendant de façon grotesque le long de ses flancs.

– Vous avez fini ? demanda-t-il.

– Les cygnes ne parlent pas, répliqua Ernie. Ferme ton sale bec ! Et économise tes forces, mon pote, parce que tu vas avoir besoin de toute ton énergie quand il faudra voler dans le ciel.

Ernie ramassa sa carabine sur le sol puis, de sa main libre, il saisit Peter par la nuque et ordonna :

– Avance !

Ils suivirent la berge jusqu'à ce qu'ils arrivent devant un grand saule à la haute silhouette gracieuse. Là, ils s'arrêtèrent. C'était un saule pleureur dont les branches pendaient de toute la hauteur de son tronc, effleurant presque la surface du lac.

– Maintenant, le cygne magique va nous montrer un peu comment il s'y prend pour voler grâce à ses pouvoirs, annonça Ernie. Ce que tu vas faire, Mister Cygne, c'est monter tout en haut de cet arbre et quand tu y seras, tu étendras tes ailes comme un gentil petit cygne et tu t'envoleras !

– Fantastique ! s'exclama Raymond. Fabuleux ! Ça me plaît beaucoup !

– À moi aussi, dit Ernie. Parce que maintenant, on va voir à quel point notre gentil petit cygne est intelligent. À l'école, il est terriblement intelligent, on est tous au courant, il est premier de la classe, il fait tout bien comme il faut, mais on verra s'il est aussi intelligent quand il sera perché tout en haut de cet arbre! D'accord, Mister Cygne?

Il poussa Peter en direction du saule.

Jusqu'où pouvait aller cette folie? se demanda le garçon. Lui-même commençait à se sentir un peu fou, comme si plus rien n'avait de réalité, comme si rien de tout cela ne se produisait vraiment. Mais au moins, l'idée de monter au sommet de cet arbre, hors de portée des deux *hooligans*, lui plaisait beaucoup. Quand il serait là-haut, il pourrait y rester. Il ne pensait pas qu'ils se donneraient la peine de le suivre. Et même s'ils le faisaient, il pourrait sûrement leur échapper en se réfugiant sur une branche trop mince pour supporter le poids de deux personnes.

Il n'était pas trop difficile de monter à l'arbre, grâce à ses branches basses qui permettaient d'entreprendre aisément l'escalade. Il commença à grimper. Les immenses ailes blanches qui pendaient de ses bras entravaient ses mouvements, mais cela n'avait pas d'importance. Ce qui comptait pour Peter, à présent, c'était qu'à chaque fois qu'il montait de quelques centimètres, ces quelques centimètres l'éloignaient un peu plus de ses tortionnaires restés sur le sol. Il n'avait jamais beaucoup aimé grimper aux arbres et ne savait pas très bien le faire, mais rien au monde ne l'empêcherait d'atteindre le sommet de celui-ci. Et lorsqu'il serait parvenu là-haut, sans doute ne le verraient-ils même plus, à cause du feuillage.

– Plus haut! cria la voix d'Ernie. Continue!

Peter poursuivit son ascension et arriva enfin à un endroit d'où il lui était impossible de monter plus haut. Ses pieds reposaient à présent sur une branche de l'épaisseur d'un poignet humain. La branche s'étendait loin au-dessus du lac puis retombait en une courbe gracieuse. Au-dessus de lui, toutes les autres branches étaient minces et flexibles mais celle à laquelle il se tenait des deux mains était suffisamment solide pour garantir son équilibre. Il resta là, se reposant après son escalade. Pour la première fois, il regarda en bas. Il était très haut, au moins à quinze mètres. Mais il ne pouvait voir les deux garçons. Ils n'étaient plus au pied de l'arbre. Se pouvait-il qu'ils aient fini par s'en aller?

– Très bien, Mister Cygne! lança alors la voix redoutée d'Ernie. Écoute-moi bien, maintenant.

Tous deux s'étaient éloignés de l'arbre jusqu'à un endroit d'où ils voyaient distinctement le jeune garçon perché là-haut. En les regardant, Peter se rendit compte à quel point les feuilles d'un saule étaient minces et éparses. Elles ne le dissimulaient presque pas.

– Écoute attentivement, Mister Cygne! criait la voix. Avance le long de la branche sur laquelle tu es monté! Continue jusqu'à ce que tu sois juste au-des-sus de la belle eau bien boueuse! Ensuite, tu décolles!

Peter ne bougea pas. Il se trouvait à présent à quinze mètres au-dessus d'eux et ils ne pourraient plus jamais l'atteindre. En bas, il y eut un long silence qui dura environ trente secondes. Il continua de fixer les deux silhouettes lointaines, debout dans le champ. Les deux garçons, immobiles, le regardaient.

– Très bien, Mister Cygne! reprit la voix d'Ernie. Je vais compter jusqu'à dix, d'accord? Et si à ce moment-là, tu n'as pas ouvert tes ailes, si tu ne t'es pas envolé, je vais te tirer dessus avec cette petite carabine! Comme ça, j'aurai descendu deux cygnes aujourd'hui, au lieu d'un! Alors, on y va, monsieur Cygne! Un!... Deux!... Trois!... Quatre!... Cinq!... Six!...

Peter demeura immobile. À partir de maintenant, plus rien ne le ferait bouger.

– Sept!... Huit!... Neuf!... Dix!

Peter vit le canon de la carabine se lever. Il était pointé droit sur lui. Il entendit alors le *bang* du coup de feu et le *zip* de la balle qui siffla à ses oreilles. C'était terrifiant. Mais il ne bougea pas. Il voyait Ernie recharger la carabine avec une nouvelle car-touche.

– Ta dernière chance! cria-t-il. La prochaine est pour toi!

Peter ne fit pas un geste. Il attendait. Il regarda le garçon debout parmi les boutons-d'or, dans le champ qui s'étendait loin au-dessous, l'autre garçon à son côté. La carabine se cala à nouveau contre son épaule.

Cette fois, il entendit le *bang* à l'instant même où la balle le frappait à la cuisse. Il ne ressentit aucune douleur mais la force du projectile le foudroya. C'était comme si quelqu'un lui avait donné un grand coup de marteau sur la jambe et ses deux pieds glissèrent de la branche sur laquelle il se tenait. Il essaya de se rattraper avec les mains, mais la petite branche qu'il avait saisie se plia et cassa net.

Certains êtres, lorsqu'on leur fait subir trop d'épreuves, qu'on les oblige à dépasser les limites de leur résistance, s'effondrent et abandonnent. Il en est d'autres au contraire, quoique peu nombreux, qui, pour on ne sait quelles raisons, ne se laissent jamais vaincre. On en rencontre en temps de guerre, mais aussi en temps de paix. Ils ont une force morale invincible et rien, ni la douleur, ni la torture, ni la menace de mourir, ne peut les briser.

Le frêle Peter Watson était l'un de ceux-là. Et tandis qu'il luttait, se débattait pour essayer de ne pas tomber du haut de l'arbre, il lui apparut soudain que c'était lui qui allait remporter la victoire. Il leva les yeux et vit une lumière qui brillait au-dessus de l'eau du lac, une lumière d'une telle clarté, d'une telle beauté qu'il était incapable d'en détacher son regard. La lumière lui faisait signe, l'attirait, et il plongea vers elle en déployant ses ailes.

Trois témoins différents déclarèrent avoir vu un grand cygne blanc voler en cercle au-dessus du village, ce matin-là : une maîtresse d'école nommée Emily Mead, un homme du nom de William Eyles qui remplaçait des tuiles sur le toit de la pharmacie, et un jeune garçon, John Underwood, qui faisait voler un modèle réduit d'avion dans un champ proche.

Et ce matin-là, Mrs Watson, qui lavait des assiettes dans l'évier de sa cuisine, jeta un coup d'œil par hasard à travers la fenêtre, au moment précis où une forme blanche de grande taille s'abattait sur la pelouse de son jardin, à l'arrière de la maison. Elle se précipita au-dehors et se laissa tomber à genoux devant la petite silhouette flétrie de son fils unique.

– Oh, mon chéri! s'écria-t-elle, au bord de l'hystérie, n'arrivant pas à croire ce qu'elle voyait. Mon chéri! Qu'est-ce qui t'est arrivé?

– J'ai mal à la jambe, dit Peter en ouvrant les yeux. Puis il s'évanouit.

– Ça saigne! s'exclama-t-elle.

Elle le souleva dans ses bras et le porta dans la maison. Elle appela aussitôt un médecin et une

ambulance. En attendant les secours, elle alla chercher une paire de ciseaux et commença à couper la
ficelle qui attachait les deux grandes ailes du cygne
aux bras de son fils.

LA MERVEILLEUSE HISTOIRE DE HENRY SUGAR

Henry Sugar avait quarante et un ans et il était célibataire. Il était également riche. Il était riche parce que son père était mort en lui laissant une grande fortune. Et il était célibataire parce qu'il était trop égoïste pour partager son argent avec une femme.

Il mesurait un mètre quatre-vingt-cinq mais n'était pas aussi bel homme qu'il le croyait.

Il accordait une très grande attention à ses vêtements. Il commandait ses costumes chez un tailleur de prix, ses chemises chez un chemisier, ses chaussures chez un bottier.

Il s'aspergeait le visage d'une lotion après-rasage qui coûtait très cher et utilisait une crème contenant de l'huile de tortue pour conserver des mains douces.

Son coiffeur lui coupait les cheveux tous les dix jours et il prenait une manucure en même temps.

Il avait dépensé une somme incroyable pour qu'on lui refasse les dents du haut car il trouvait que les siennes avaient une désagréable teinte jaunâtre. Un petit grain de beauté sur sa joue gauche lui avait été enlevé par un chirurgien esthétique.

Il conduisait une Ferrari qui avait dû lui coûter le prix d'une maison de campagne.

Il habitait Londres l'été, mais dès les premiers froids d'octobre, il partait pour les Caraïbes ou le sud de la France, où il séjournait avec des amis. Des amis qui étaient tous de riches héritiers.

Henry n'avait jamais travaillé un seul jour de sa vie et sa devise, qu'il avait inventée lui-même, était : *Mieux vaut encourir un léger blâme qu'accomplir une lourde tâche.* Ses amis trouvaient cette phrase hilarante.

Les hommes comme Henry Sugar traînent un peu partout dans le monde, comme des algues à la surface de l'océan. On en voit surtout à Londres, New York, Paris, Nassau, Montego Bay, Cannes et Saint-Tropez. Ce ne sont pas des hommes particulièrement mauvais. On ne peut pas dire non plus qu'ils soient très estimables. Ils n'ont pas de réelle importance. Ils font simplement partie du décor.

Tous – tous les gens riches de cette espèce – ont un trait commun : ils éprouvent un formidable besoin de devenir encore plus riches qu'ils ne le sont déjà. Un million ne leur suffit pas. Ni deux millions. Ils ont toujours l'insatiable désir d'amasser davantage d'argent. Cela vient de ce qu'ils vivent dans la terreur constante de se réveiller un matin en découvrant qu'ils n'ont plus un sou à la banque.

Ces gens-là utilisent tous les mêmes moyens pour essayer d'accroître leur fortune. Ils achètent des actions et des obligations en les regardant monter et baisser. Ils misent de grosses sommes à la roulette ou au black-jack dans les casinos. Ils parient sur les chevaux. Ils parient à peu près sur tout. Un jour, Henry Sugar avait misé mille livres sur le résultat d'une course de tortues qui avait eu lieu chez Lord Liverpool, sur le gazon de son court de tennis. Et il avait parié le double de cette somme avec un homme du nom d'Esmond Hanbury pour un enjeu encore plus stupide : ils avaient lâché le chien de Henry dans le jardin et l'avaient observé par la fenêtre. Mais avant de libérer l'animal, chacun des deux hommes avait dû deviner à l'avance quel serait le premier objet contre lequel il lèverait la patte. Serait-ce un mur, un poteau, un buisson ou un arbre ? Edmond avait choisi un mur. Henry, après avoir passé des jours entiers à étudier les habitudes de son chien en vue de ce pari, avait choisi un arbre, et il avait gagné.

C'était avec des jeux aussi bêtes que Henry et ses amis essayaient de vaincre l'ennui mortel qu'ils éprouvaient à être à la fois riches et oisifs.

Henry lui-même, comme vous l'avez peut-être remarqué, n'hésitait pas à tricher un peu avec ses amis lorsque l'occasion s'en présentait. Le pari sur le chien n'était absolument pas honnête. Pas plus que celui sur la course de tortues, si vous voulez tout savoir. Ce jour-là, Henry avait triché en faisant secrètement avaler à la tortue de son adversaire, une heure avant la course, un cachet de somnifère réduit en poudre.

À présent que vous avez une idée générale du genre d'homme qu'était Henry Sugar, je peux commencer mon histoire.

Un jour d'été, Henry était parti de Londres au volant de sa voiture pour se rendre à Guildford, où il devait passer le week-end chez Sir William Wyndham. La maison était magnifique, ainsi que le parc, mais lorsque Henry arriva le samedi après-midi, la pluie tombait déjà à verse. Il n'était plus question de jouer au tennis, ni au croquet. Impossible également de nager dans la piscine en plein air de Sir William. L'hôte et ses invités étaient assis, la mine sombre, dans le salon, regardant la pluie s'écraser contre les vitres. Les gens très riches éprouvent une considérable indignation face au mauvais temps. C'est l'unique contrariété à laquelle leur argent ne peut apporter aucun remède.

Quelqu'un dans la pièce dit :

– Si on jouait à la canasta en misant de bonnes grosses sommes ?

Les autres trouvèrent l'idée merveilleuse mais comme ils étaient cinq en tout, l'un d'eux devrait renoncer à jouer. Ils coupèrent les cartes et chacun en prit une. Henry tira la plus basse, la carte de la malchance.

Les quatre autres s'assirent et se mirent à jouer. Henry était agacé de ne pouvoir participer au jeu. Il sortit du salon et alla flâner dans le grand hall. Il regarda pendant un moment les tableaux accrochés aux murs puis continua à se promener dans la maison, s'ennuyant à mourir de n'avoir rien à faire. Enfin, il alla traîner dans la bibliothèque.

Le père de Sir William avait été un célèbre collectionneur de livres et les volumes qu'il avait rassemblés couvraient du sol au plafond les quatre murs de l'immense pièce. Henry Sugar ne fut guère impressionné. Il n'était même pas intéressé. Les seuls livres qu'il lisait étaient des romans policiers ou d'aventures. Il fit le tour de la pièce d'un pas nonchalant, essayant de trouver le genre de livre qu'il aimait. Mais ceux qui remplissaient la bibliothèque de Sir William étaient tous des volumes reliés en cuir qui portaient les noms de Balzac, Ibsen, Voltaire, Johnson et Pepys. « Que des bavardages ennuyeux », songea Henry. Il était sur le point de partir lorsque son regard fut attiré par un livre très différent des autres. Il était si mince qu'il ne l'aurait jamais remarqué s'il n'avait un peu dépassé de ceux qui l'entouraient. Et lorsqu'il le retira du rayon, il s'aperçut qu'il s'agissait d'un simple cahier cartonné, semblable à ceux que les enfants utilisent à l'école. La couverture était bleu foncé et ne portait aucune indication. Henry ouvrit le cahier. Sur la première page était tracé à la main, en lettres capitales, le titre suivant :

RÉCIT D'UNE RENCONTRE
AVEC IMHRAT KHAN,
L'HOMME QUI VOYAIT SANS SES YEUX
PAR LE Dr John F. Cartwright
BOMBAY, INDE
DÉCEMBRE 1934

« Voilà qui peut avoir un certain intérêt », pensa Henry. Il tourna la page. Le texte qui suivait était rédigé à la main, à l'encre noire. L'écriture était bien appuyée, claire et nette. Henry resta debout pour lire les deux premières pages. Soudain, il se surprit à vouloir poursuivre sa lecture. C'était une très bonne histoire. Fascinante, même. Il emporta le petit livre et alla s'installer confortablement dans un fauteuil de cuir, près de la fenêtre. Puis il recommença à lire depuis le début.

Voici ce que Henry découvrit dans le petit cahier bleu :

Mon nom est John Cartwright et je suis chirurgien à l'hôpital général de Bombay. Le matin du 2 décembre 1934, je prenais le thé dans la salle de repos des médecins. Trois autres de mes confrères étaient avec moi et buvaient une tasse de thé bien méritée. Il y avait le docteur Marshall, le docteur Phillips et le docteur Macfarlane. Quelqu'un frappa à la porte.

– Entrez, dis-je.

La porte s'ouvrit. Un Indien s'avança en nous souriant et dit :

– Excusez-moi, messieurs, s'il vous plaît. Pourrais-je vous demander un service ?

La salle de repos était un lieu des plus privés. Seuls les médecins avaient le droit d'y entrer, sauf en cas d'urgence.

– Cette pièce est interdite au public, lança sèchement le docteur Macfarlane.

– Oui, oui, répondit l'Indien. Je le sais et croyez bien, messieurs, que je suis absolument désolé de faire ainsi irruption parmi vous, mais j'ai quelque chose de très intéressant à vous montrer.

Nous étions tous les quatre passablement agacés et nous restâmes silencieux.

– Messieurs, continua-t-il, vous avez devant vous quelqu'un qui est capable de voir sans faire usage de ses yeux.

Aucun d'entre nous ne l'encouragea à poursuivre. Mais personne ne le mit dehors.

– Vous pouvez me bander les yeux de toutes les manières possibles, reprit-il. Même si vous m'entouriez la tête d'une cinquantaine de bandages, je pourrais quand même vous lire un livre.

Il semblait parfaitement sérieux. Je sentis que ma curiosité commençait à s'éveiller.

– Approchez, dis-je.

Il s'avança vers moi.

– Tournez-vous.

Il se tourna et je plaquai fermement mes mains contre ses yeux en maintenant ses paupières closes.

– Maintenant, poursuivis-je, l'un des autres médecins présents dans cette pièce va lever entre un et dix doigts. Vous devrez me dire combien de doigts il a levés.

Le docteur Marshall leva sept doigts.

– Sept, annonça l'Indien.

– Encore une fois, dis-je.

Le docteur Marshall serra ses deux poings, cachant tous ses doigts.

– Aucun doigt levé, déclara l'Indien.

– On recommence, dis-je.

Cette fois encore, le docteur Marshall serra les poings sans lever un seul doigt.

– Toujours pas de doigts, assura l'Indien.

J'enlevais mes mains de ses yeux.

– Pas mal, admis-je.

– Attendez, intervint le docteur Marshall. Essayons ceci.

Une blouse blanche de médecin était accrochée à une patère, sur la porte. Il prit la blouse et la tortilla pour la transformer en une sorte de longue écharpe. Il l'enroula alors autour de la tête de l'Indien et serra les deux extrémités sur sa nuque.

– Essayons à nouveau, dit le docteur Marshall.

Je pris une clé dans ma poche.

– Qu'est-ce que je tiens dans ma main ? demandai-je.

– Une clé, répondit l'Indien.

Je remis la clé dans ma poche et levai ma main vide.

– Et maintenant, quel est cet objet ? dis-je.

– Il n'y a aucun objet, affirma-t-il. Votre main est vide.

Le docteur Marshall ôta la blouse qui masquait les yeux de l'homme.

– Comment faites-vous ? m'étonnai-je. Quel est le truc ?

– Il n'y a pas de truc, répondit l'Indien. C'est un

don véritable que j'ai réussi à acquérir après des années d'entraînement.

– Quel genre d'entraînement ? demandai-je.

– Pardonnez-moi, docteur, répliqua-t-il, mais c'est une affaire privée.

– Alors, pourquoi venir ici ? dis-je.

– Je suis venu vous demander un service.

L'Indien était un homme grand, d'une trentaine d'années, à la peau marron clair, de la couleur d'une noix de coco. Il avait une petite moustache et d'étranges touffes de poils noirs qui poussaient sur toute la surface de ses oreilles. Il était vêtu d'une tunique de coton blanc et ses pieds nus étaient chaussés de sandales.

– Voyez-vous, messieurs, continua-t-il, je gagne actuellement ma vie en travaillant dans un théâtre ambulant qui vient d'arriver à Bombay. Nous donnons ce soir notre première représentation dans la ville.

– Où cela ? demandai-je.

– Au Royal Palace Hall, répondit-il. Dans Acacia Street. Je suis la vedette de la troupe. Dans le programme, on me présente comme « Imhrat Khan, l'homme qui voit sans ses yeux ». Et il est de mon devoir de faire une large publicité au spectacle. Si nous ne vendons pas de billets, nous ne mangeons pas.

– En quoi cela nous concerne-t-il ? m'étonnai-je.

– Très intéressant pour vous, dit-il. Vous vous amuserez bien. Laissez-moi vous expliquer. Voyez-vous, chaque fois que notre théâtre arrive dans une nouvelle ville, je me rends directement dans le plus grand hôpital et je demande aux médecins de me bander les yeux. Je leur demande de le faire d'une manière experte. Ils doivent s'assurer que mes yeux sont complètement recouverts par de nombreux bandeaux. Il est très important que ce travail soit accompli par des médecins, sinon, les gens croient que je triche. Quand mes yeux sont totalement bandés, je sors dans la rue et je fais quelque chose de dangereux.

– Qu'entendez-vous par là? dis-je.

– C'est très intéressant, répondit-il. Vous verrez cela si vous avez l'amabilité de me bander les yeux. Vous me rendriez un grand service en vous chargeant de cette petite opération, messieurs.

Je regardai les trois autres médecins. Le docteur Phillips dit qu'il devait retourner auprès de ses patients. Le docteur Macfarlane répondit la même chose. Le docteur Marshall, en revanche, déclara :

– Pourquoi pas? Ce pourrait être amusant. Cela ne nous prendra que quelques instants.

– Je me joins à vous, dis-je. Mais faisons le travail comme il faut. Assurons-nous qu'il ne puisse absolument rien voir.

– Vous êtes très gentils, assura l'Indien. Faites ce que vous voudrez.

Le docteur Phillips et le docteur Macfarlane sortirent de la pièce.

– Avant de lui bander les yeux, dis-je au docteur Marshall, nous allons d'abord lui sceller les paupières. Ensuite, nous lui mettrons sur les orbites quelque chose qui soit mou, compact et collant.

– Par exemple ?

– Que penseriez-vous d'un peu de pâte à pain ?

– Ce serait parfait, approuva le docteur Marshall.

– Très bien. Pouvez-vous faire un saut à la boulangerie de l'hôpital et en rapporter un peu de pâte ? Moi, je me chargerai de l'emmener dans mon cabinet et de lui sceller les paupières.

Je conduisis l'Indien hors de la salle de repos, le long du grand couloir de l'hôpital, et le fis entrer dans mon cabinet.

– Allongez-vous, dis-je en lui montrant la table d'examen.

Il s'étendit. Je pris dans le placard un petit flacon muni d'un compte-gouttes.

– Voici ce qu'on appelle du collodion, lui expliquai-je. Ce liquide va durcir par-dessus vos paupières de telle sorte qu'il vous sera impossible de les ouvrir.

– Comment vais-je l'enlever après ? demanda-t-il.

– Il se dissout très facilement avec de l'alcool, répondis-je. C'est un produit parfaitement inoffensif. Fermez les yeux, maintenant.

L'Indien s'exécuta. J'appliquai le collodion sur ses deux paupières.

– Gardez-les bien fermées, dis-je. Attendez que le liquide durcisse.

En deux minutes, le collodion avait formé une pellicule rigide sur les paupières, les maintenant étroitement closes.

– Essayez d'ouvrir les yeux, à présent.

Il essaya mais n'y parvint pas.

Le docteur Marshall arriva avec un bol rempli de pâte. C'était la pâte blanche très ordinaire qu'on utilise généralement pour faire du pain. Elle était malléable et douce au toucher. J'en pris un petit morceau que j'étalai sur l'une des paupières de l'Indien. Je recouvris toute la surface en dépassant un peu autour de l'orbite. Puis j'appuyai très fort sur les bords pour bien les coller contre la peau. Je procédai de la même manière pour l'autre œil.

– Ce n'est pas trop désagréable ? demandai-je.

– Non, assura l'Indien. Ça va.

– Occupez-vous du bandeau, dis-je au docteur Marshall. Mes doigts sont trop poisseux.

– Avec plaisir, répondit-il. Regardez ça.

Il prit un tampon d'ouate très épais et l'étala sur

les yeux recouverts de pâte à pain de l'Indien. L'ouate colla à la pâte et resta en place.

– Redressez-vous, s'il vous plaît, dit le docteur Marshall.

L'Indien se mit en position assise.

Le docteur Marshall prit un rouleau de gaze de sept centimètres de largeur et en entoura la tête de l'homme pour maintenir fermement le tampon d'ouate et la pâte à pain. Puis, il attacha le bandage à l'aide d'une épingle. Il prit ensuite un deuxième rouleau et commença à envelopper non seulement les yeux de l'Indien mais son visage et son crâne tout entiers.

– Laissez-moi de la place pour le nez, que je puisse respirer, dit l'homme.

– Bien sûr, répondit le docteur Marshall.

Il acheva sa tâche et épingla l'extrémité du bandage.

– Qu'en pensez-vous? demanda-t-il.

– Magnifique, approuvai-je. Il lui est totalement impossible de voir à travers tout ça.

La tête de l'Indien était à présent entièrement emmaillotée dans un épais bandage blanc et on ne voyait plus que le bout de son nez qui dépassait. On aurait dit qu'il venait de subir une terrible opération du cerveau.

– Comment vous sentez-vous? interrogea le docteur Marshall.

– Très bien, dit l'Indien. Je dois vous complimenter, messieurs, pour la qualité de votre travail.

– Alors, allez-y, poursuivit le docteur Marshall en m'adressant un sourire. Montrez-nous à présent votre habileté à voir ce qui vous entoure.

L'Indien descendit de la table d'examen et marcha droit vers la porte. Il l'ouvrit et sortit.

– Grands dieux! m'exclamai-je. Vous avez vu ça? Il a mis la main sur la poignée sans la moindre hésitation.

Le docteur Marshall ne souriait plus. Son visage était devenu soudain très pâle.

– Je vais le suivre, dit-il en se ruant vers la porte.

Je me précipitai à mon tour.

L'Indien avançait tout à fait normalement dans le couloir de l'hôpital. Le docteur Marshall et moi étions environ à cinq mètres derrière lui. Voir cet homme, avec sa tête qui paraissait énorme dans son bandage blanc, marcher d'un pas tranquille le long du couloir, comme n'importe qui d'autre, avait quelque chose de très inquiétant. C'était encore plus inquiétant quand on savait avec certitude que ses paupières étaient scellées et ses orbites recouvertes de pâte à pain, avec par-dessus un gros tampon d'ouate et des bandages serrés.

J'aperçus un garçon de salle indigène qui remontait le couloir en sens inverse, en direction de l'Indien. Il poussait devant lui un chariot-repas. Soudain, il vit l'homme à la tête blanche et s'immobilisa. L'Indien, caché sous ses bandages, s'écarta le plus naturellement du monde pour contourner le chariot et poursuivit son chemin.

– Il l'a vu! m'écriai-je. Il a dû voir le chariot! Il l'a évité! C'est absolument incroyable!

Le docteur Marshall ne me répondit pas. Il avait le teint blanc, son visage s'était figé dans une expression d'incrédulité stupéfaite.

L'Indien arriva devant l'escalier et commença à descendre les marches.

Il descendit sans aucune difficulté, sans même poser la main sur la rampe. Les personnes qui montaient dans l'autre sens s'arrêtaient bouche bée, le regardaient avec des yeux ronds et s'écartaient hâtivement de son chemin.

Parvenu au pied de l'escalier, l'Indien tourna à droite et se dirigea vers les portes qui donnaient sur la rue. Le docteur Marshall et moi-même le suivions toujours de près.

L'entrée de notre hôpital se trouve un peu en retrait de la rue et une série de marches assez imposantes permettent de descendre dans une petite cour entourée d'acacias. Le docteur Marshall et moi sortîmes sous un soleil éclatant et nous nous arrêtâmes en haut des marches. Au-dessous, dans la cour, il y avait une foule d'une centaine de personnes. La moitié au moins était constituée d'enfants qui marchaient pieds nus et lorsque notre Indien à la tête blanche descendit l'escalier, tous se mirent à crier et à l'acclamer en se massant autour de lui. Il les salua, les mains jointes au-dessus de sa tête.

Soudain, d'un côté de la cour, je vis une bicyclette tenue par un petit garçon qui s'était avancé au bas des marches. La bicyclette elle-même était très banale mais à l'arrière, une grande pancarte d'environ un mètre cinquante de côté était fixée tant bien que mal au garde-boue. Sur la pancarte, on pouvait lire :

IMHRAT KHAN, L'HOMME QUI VOIT
SANS SES YEUX !
AUJOURD'HUI, MES YEUX ONT ÉTÉ BANDÉS
PAR DES MÉDECINS DE L'HÔPITAL !
REPRÉSENTATION CE SOIR
ET TOUTE LA SEMAINE
AU ROYAL PALACE HALL,
ACACIA STREET, À 19 HEURES.
À NE PAS MANQUER !
VOUS VERREZ DES MIRACLES SE PRODUIRE
DEVANT VOUS.

Arrivé au bas des marches, notre Indien se dirigeait à présent d'un pas assuré vers la bicyclette. Il dit quelques mots au petit garçon qui lui adressa un sourire. Puis il s'assit sur la selle et la foule s'écarta pour le laisser passer. Alors, spectacle incroyable, cet homme aux yeux bandés, obstrués, traversa la cour à bicyclette et sortit droit dans la rue, au milieu du tourbillon assourdissant de la circulation ! La foule l'acclama plus bruyamment que jamais. Les enfants aux pieds nus se précipitèrent derrière lui, criant et riant. Pendant environ une minute, il demeura dans notre champ de vision. Nous le vîmes rouler avec maestria le long de la rue grouillante, parmi les voitures qui filaient autour de lui, une bande d'enfants courant dans son sillage. Il tourna ensuite au coin d'une rue et disparut.

– J'en ai la tête qui tourne, dit le docteur Marshall. Je n'arrive pas à y croire.

– Nous sommes bien obligés d'y croire, répondis-je. Il lui aurait été impossible d'enlever la pâte à pain sous les bandages. À aucun moment nous ne l'avons quitté des yeux. Et décoller ses paupières avec du coton et de l'alcool lui aurait pris au moins cinq minutes.

– Vous savez ce que je pense ? demanda le docteur Marshall. Je pense que nous venons d'assister à un miracle.

Tournant alors les talons, nous revînmes d'un pas lent à l'hôpital.

Pendant le reste de la journée, je fus occupé par mes patients. À six heures du soir, je cessai mon service et rentrai chez moi en voiture pour prendre une douche et me changer. C'était la période la plus chaude de l'année à Bombay et même après le coucher du soleil, on se serait cru dans une véritable fournaise. Si on restait assis immobile dans un fauteuil, la sueur perlait quand même à la surface de la peau. Toute la journée, on avait le visage luisant d'humidité et la chemise qui collait à la poitrine. Je pris une longue douche fraîche. Je m'installai ensuite sur la véranda, une simple serviette autour de la taille, et bus un whisky soda. Puis je mis des vêtements propres.

À sept heures moins dix, j'étais dans Acacia Street, devant le Royal Palace Hall. C'était une de ces petites salles miteuses qu'on peut louer à bon marché pour des réunions ou des bals. Il y avait une foule assez nombreuse, composée d'Indiens qui se pressaient devant le guichet et, au-dessus de l'entrée, une grande affiche indiquait que la COMPAGNIE INTERNATIONALE DE THÉÂTRE allait se produire tous les soirs de la semaine. Elle présentait des jongleurs, des magiciens, des acrobates, des avaleurs de sabre, des cracheurs de feu, des charmeurs de serpent et une pièce en un acte intitulée *Le Rajah et la Dame Tigre*.

Mais au-dessus de tout cela, et en lettres beaucoup plus grosses que tout le reste, l'affiche annonçait : IMHRAT KHAN, L'HOMME MIRACLE QUI VOIT SANS SES YEUX.

J'achetai un billet et entrai.

Le spectacle durait deux heures. À ma grande surprise, je l'appréciai pleinement. Tous les artistes étaient excellents. J'aimais bien celui qui jonglait avec des ustensiles de cuisine. Il avait une casserole, une poêle, un moule à gâteau, une grosse assiette et une cassolette qu'il faisait voler dans les airs, tous en même temps. Le charmeur de serpent montrait un grand serpent vert qui se dressait presque sur le bout de sa queue et oscillait au son de sa flûte. Le cracheur de feu crachait bel et bien des flammes et l'avaleur de sabre enfonçait sur une longueur d'au moins un mètre vingt la lame fine et pointue d'une rapière dans sa gorge et son estomac. Enfin, notre ami Imhrat Khan entra en scène au son des trompettes pour exécuter son numéro. Les bandages que nous lui avions mis avaient été retirés.

Des spectateurs furent appelés sur scène pour lui bander les yeux avec des morceaux de drap, des foulards, des turbans et bientôt, il y eut tant de tissus enroulés autour de sa tête qu'il avait du mal à garder son équilibre. On lui donna alors un revolver. Un petit garçon s'avança et se posta à gauche de la scène.

Je le reconnus, c'était lui qui avait tenu la bicyclette devant l'hôpital, le matin même. Le garçon posa une boîte en fer-blanc sur sa tête et s'immobilisa. Il y eut dans la salle un silence de mort tandis qu'Imhrat Khan visait. Il tira. La détonation nous fit tous sursauter. La boîte en fer-blanc s'envola de la tête du garçon et tomba par terre dans un tintement. Le garçon la ramassa et montra au public le trou que la balle avait percé. Tout le monde applaudit et acclama la performance. Le garçon souriait.

Puis il alla se placer devant un paravent en bois et Imhrat se mit à lancer des couteaux tout autour de lui, la plupart s'enfonçant tout près de son corps. Ce fut un numéro magnifique. Il n'y avait pas beaucoup de gens capables de lancer des couteaux avec une telle précision, même sans avoir les yeux bandés, mais ce personnage extraordinaire y parvenait, avec son crâne emmailloté qui lui donnait l'air d'une grosse boule de neige plantée sur un bâton, et ses couteaux pointus se plantaient sur le paravent à un cheveu de la tête du garçon. Celui-ci ne cessa de sourire pendant tout le numéro et lorsque ce fut terminé, le public tapa des pieds et poussa des cris enthousiastes.

La dernière démonstration d'Imhrat Khan, bien que moins spectaculaire, fut encore plus impressionnante. On apporta sur scène un fût métallique. Des membres du public furent invités à l'examiner pour s'assurer qu'il ne comportait aucune ouverture. Il n'y avait pas le moindre trou. On plaça alors le fût renversé sur la tête déjà bandée d'Imhrat Khan. Il lui recouvrait les épaules et descendait jusqu'aux coudes, plaquant le haut de ses bras contre ses flancs. Quelqu'un lui mit ensuite une aiguille dans une main et un fil de coton dans l'autre. Sans aucun tâtonnement, il fit passer d'un geste précis le fil à travers le chas de l'aiguille. J'en étais abasourdi.

Dès la fin du spectacle, je me dirigeai vers les coulisses. Je trouvai Mr Imhrat Khan dans une loge petite mais propre, tranquillement assis sur un tabouret de bois. Le petit Indien était en train d'enlever la masse de foulards et de draps qui lui entouraient la tête.

— Ah, dit-il, c'est mon ami le médecin de l'hôpital. Entrez, docteur, entrez.

— J'ai vu le spectacle, dis-je.

— Et qu'en avez-vous pensé?

— Il m'a beaucoup plu. Je vous ai trouvé merveilleux.

— Merci, répondit-il. C'est un beau compliment.

— Je dois également féliciter votre assistant, ajoutai-je en adressant un signe de tête au jeune garçon. Il est très courageux.

— Il ne connaît pas l'anglais, précisa l'Indien. Mais je vais lui répéter ce que vous avez dit.

Il lui parla rapidement en hindoustani et le garçon hocha la tête d'un air solennel sans prononcer un mot.

– Écoutez, repris-je. Je vous ai rendu un petit service ce matin. Voudriez-vous m'en rendre un autre en échange ? Consentiriez-vous à souper en ville avec moi ?

Il n'avait plus aucun bandage, à présent. Il me sourit et répondit :

– Je crois que vous éprouvez de la curiosité, docteur. N'ai-je pas raison ?

– Une très grande curiosité, admis-je. J'aimerais parler avec vous.

Une fois encore, je fus frappé par les étranges touffes de poils noirs et épais qui lui poussaient à l'extérieur des oreilles. Je n'avais jamais vu une chose pareille chez quiconque d'autre.

– Je n'ai encore jamais été interrogé par un médecin, dit-il. Mais j'accepte volontiers. Ce serait un plaisir de souper avec vous.

– Je vous attends dans la voiture ?

– S'il vous plaît, répondit-il. Je dois faire un peu de toilette et me débarrasser de ces vêtements sales.

Je lui décrivis ma voiture et lui dis que je l'attendrais dehors.

Il réapparut un quart d'heure plus tard, vêtu d'une tunique propre de coton blanc, ses pieds nus chaussés des habituelles sandales. Bientôt, nous nous retrouvâmes tous deux confortablement installés dans un petit restaurant où j'allais quelquefois car c'était là qu'on trouvait le meilleur curry de la ville. Je bus de la bière avec mon curry. Imhrat Khan but de la citronnade.

– Je ne suis pas écrivain, lui déclarai-je. Je suis médecin. Mais si vous voulez bien me raconter votre histoire depuis le début, si vous voulez bien m'expliquer comment vous avez développé ce pouvoir magique de voir sans les yeux, j'écrirai votre récit aussi fidèlement que possible. Et peut-être alors pourrais-je le faire publier dans le *British Medical Journal* ou même dans un magazine grand public. Par le fait même que je suis médecin, et non pas un écrivain qui essaye de vendre une histoire pour gagner de l'argent, les gens seront plus enclins à prendre au sérieux ce que je leur dirai. Cela vous aiderait, n'est-ce pas, d'être mieux connu?

– Cela m'aiderait beaucoup, en effet, assura-t-il. Mais pourquoi vous donner cette peine?

– Parce que je suis follement curieux, répondis-je. C'est la seule raison.

Imhrat Khan prit une bouchée de riz au curry et la mâcha lentement. Puis il déclara :

– Très bien, cher ami. Je vais vous raconter.

– Magnifique! m'écriai-je. Retournons à mon

appartement dès que nous aurons fini de dîner et nous pourrons parler sans que personne ne nous dérange.

Nous terminâmes notre repas. Je payai l'addition. Puis j'emmenai Imhrat Khan chez moi, dans ma voiture.

Dans le salon, je sortis papier et crayon pour prendre des notes. J'ai mis au point une sorte de sténographie personnelle qui me sert à consigner l'histoire médicale de mes patients et je peux ainsi transcrire la plus grande partie de ce qu'on me dit si la personne ne parle pas trop vite. Je crois avoir relevé, mot pour mot, presque tout ce qu'Imhrat Khan m'a raconté ce soir-là et voici le résultat. Je vous le livre dans ses propres termes :

– Je suis un Indien, un Hindou, délara Imhrat Khan, je suis né à Akhnur, dans l'État du Cachemire, en 1905. Ma famille est pauvre, mon père était contrôleur des chemins de fer. Quand j'avais treize ans, un magicien indien est venu donner une représentation dans notre école. Il s'appelait, je m'en souviens, le professeur Moor – en Inde, tous les magiciens se donnent le titre de « professeur » – et ses tours étaient excellents. J'étais terriblement impressionné. Je pensais que c'était de la véritable magie. J'ai ressenti – comment pourrais-je dire ? –, j'ai ressenti un puissant désir d'apprendre moi aussi la magie et deux jours plus tard, je me suis enfui de chez moi, décidé à retrouver et à suivre mon nouveau héros, le professeur Moor. J'avais emporté toutes mes économies, quatorze roupies, et ce que je portais sur moi, à savoir un *dhoti* et des sandales. Nous sommes en 1918 et comme je vous l'ai dit, j'ai treize ans.

Je découvre bientôt que le professeur Moor est parti pour Lahore, qui se trouve à plus de trois cents kilomètres. Je prends donc tout seul un billet de train en troisième classe et je le suis là-bas. À Lahore, je retrouve le professeur. Il travaille comme magicien dans un spectacle à bon marché. Je lui exprime mon admiration et lui propose d'être son assistant. Il accepte. Mon salaire ? Ah oui, mon salaire sera de huit annas par jour.

Le professeur m'apprend le tour des anneaux et me confie le soin de l'exécuter dans la rue, devant le théâtre, pour inciter les gens à entrer voir le spectacle.

Pendant six semaines entières, tout se passe très bien. C'est beaucoup mieux que d'aller à l'école. Mais je reçois un véritable coup sur la tête lorsque je m'aperçois soudain que le professeur Moor n'a pas de réels pouvoirs magiques, que tout repose sur l'illusion et la dextérité. Je cesse aussitôt de considérer le professeur comme un héros. Je perds tout intérêt pour mon travail mais en même temps, mon esprit est entièrement occupé par un très profond désir. Le désir de rechercher la vraie magie, de découvrir quelque chose de cet étrange pouvoir qu'on appelle le yoga.

Pour cela, je dois trouver un yogi qui veuille bien me prendre comme disciple. Ce ne sera pas facile. Les authentiques yogis ne poussent pas sur les arbres. Dans toute l'Inde, il y en a très peu. Et ce sont des gens d'un grand fanatisme religieux. Par conséquent, si je veux avoir une chance d'en découvrir un, je dois moi aussi faire semblant d'être très religieux.

En réalité, non, je ne suis pas religieux. C'est pour cela qu'on peut me considérer d'une certaine manière comme un imposteur. Je voulais acquérir des pouvoirs de yogi pour des raisons égoïstes. Je voulais utiliser ces pouvoirs pour obtenir gloire et fortune.

C'était quelque chose qu'un vrai yogi mépriserait plus que tout au monde. Le vrai yogi est convaincu que tout adepte du yoga qui fait un mauvais usage de ses pouvoirs mourra d'une mort subite et précoce. Un yogi ne doit jamais se produire en public. Il doit pratiquer son art dans une intimité absolue et le considérer comme un service religieux, sinon la mort le frappera impitoyablement. Je ne croyais pas du tout à cela et je n'y crois toujours pas.

Je me mets donc à la recherche d'un maître de yoga. Je quitte le professeur Moor et me rends dans la ville d'Amritsar, au Penjab, où je suis engagé dans une troupe de théâtre itinérante. Il faut bien que je gagne ma vie pendant que je pars en quête du secret, et j'avais déjà eu un certain succès comme acteur amateur à l'école. Trois années durant, je fais une tournée dans tout le Penjab avec la troupe de théâtre. À la fin, à l'âge de seize ans et demi, je suis devenu la vedette du spectacle. Au cours de cette période, j'ai économisé de l'argent et je possède à présent une très grosse somme qui s'élève à deux mille roupies.

C'est à ce moment-là que j'entends parler d'un homme du nom de Banerjee. Ce Banerjee, disait-on, était l'un des authentiques grands yogis indiens et possédait des pouvoirs extraordinaires. On racontait surtout qu'il avait acquis le pouvoir très rare de léviter. Ainsi, lorsqu'il priait, son corps tout entier quittait le sol et restait suspendu en l'air à cinquante centimètres de hauteur.

« Ah, ah, me dis-je. Voilà sûrement l'homme qu'il me faut. Ce Banerjee est celui que je dois chercher. »

Je prends aussitôt mes économies et me rends à Rishikesh, sur les rives du Gange, où, selon la rumeur, vivait Banerjee.

Pendant six mois, je cherche Banerjee. Je demande : « Où est-il ? Où ? Où est Banerjee ? À Rishikesh, on me dit : « Ah oui, il est sûrement venu dans la ville, mais il y a déjà un certain temps et même à ce moment-là, personne ne l'a vu. Et maintenant? Maintenant, Banerjee est parti ailleurs. » « Où, ailleurs? » « Ah, me dit-on, comment le savoir? Comment, je vous le demande? Comment savoir où peut aller quelqu'un comme Banerjee? Ne vit-il pas dans une totale solitude? N'est-ce pas? » « Oui, dis-je. Oui, oui, oui, bien sûr. » C'était évident. Même pour moi.

Je dépense toutes mes économies à essayer de dénicher ce Banerjee, jusqu'à ce qu'il ne me reste plus que trente-cinq roupies. Mais cela n'a servi à rien. Alors, je m'installe à Rishikesh et gagne ma vie en exécutant les habituels tours de magie pour de petits groupes et des publics divers. C'étaient les tours que m'avait enseignés le professeur Moor et il se trouve que je suis doué par nature d'une grande dextérité.

Un jour enfin, alors que je me trouve dans un petit hôtel de Rishikesh, on me parle à nouveau du yogi Banerjee. Un voyageur prétend avoir entendu dire que ce Banerjee vit à présent dans la jungle, pas très loin de là, mais au cœur d'une végétation très dense, et tout seul.

– Où cela?

Le voyageur ne sait pas très bien.

– Peut-être là-bas, dans cette direction, répond-il en tendant le doigt. Au nord de la ville.

Il ne m'en faut pas plus. Je me rends au marché où je négocie les services d'un *tonga* – c'est-à-dire un cheval avec une charrette. L'affaire est presque conclue avec le cocher lorsqu'arrive un homme qui nous écoutait un peu plus loin. Il dit que lui aussi va dans cette direction et propose de faire une partie du chemin avec moi en partageant les frais. J'en suis ravi, bien entendu, et nous nous mettons en route, l'homme et moi assis dans la charrette, le cocher menant son cheval. Nous parcourons ainsi un tout petit chemin qui traverse la jungle.

C'est alors que j'ai un coup de chance fantastique! En parlant avec mon compagnon de voyage, je découvre qu'il n'est autre qu'un disciple du grand Banerjee en personne et qu'il va justement rendre visite à son maître. Je lui déclare aussitôt que je veux moi aussi devenir un disciple du yogi.

Il se tourne vers moi, me fixe d'un long et lent regard, et reste silencieux pendant peut-être trois minutes. Puis, à voix basse, il répond :

– Non, c'est impossible.

« Très bien, me dis-je, on verra. » Je lui demande alors s'il est vrai que Banerjee lévite quand il prie.

– Oui, répond-il. C'est vrai. Mais personne n'a le droit de le regarder lorsque cela se produit. D'ailleurs, personne n'a jamais le droit d'approcher Banerjee lorsqu'il prie.

Nous poursuivons notre chemin, assis dans le *tonga*, en parlant sans cesse de Banerjee et, grâce à des questions que je pose avec beaucoup de prudence, comme si de rien n'était, je parviens à apprendre de nombreux petits détails à son sujet, par exemple à quelle heure du jour il commence à prier. Bientôt, l'homme me dit :

– Je vous laisse. C'est là que je descends.

Je le dépose et fais semblant de continuer ma route mais, derrière un virage, je demande au cocher de s'arrêter et de m'attendre. Je me dépêche de sauter à terre et je reviens en arrière à pas furtifs, à la recherche de cet homme, le disciple de Banerjee. Je ne le vois pas sur le chemin. Il avait déjà disparu dans la jungle. Mais où ? De quel côté de la route ? Je m'immobilise et tends l'oreille.

Je perçois alors une sorte de bruissement dans les sous-bois. « Ce doit être lui », me dis-je. Si ce n'est pas lui, c'est un tigre. Mais c'est bien lui, en effet. Je le vois devant moi. Il s'enfonce dans une jungle épaisse. Là où il marche, il n'y a pas le moindre sentier. Il doit se frayer un chemin parmi de hauts bambous et un enchevêtrement touffu de végétation. Je me glisse derrière lui, à une centaine de mètres de distance, de peur qu'il ne m'entende. Moi, je l'entends. Il est impossible d'avancer sans bruit lorsque la jungle est très dense et chaque fois que je le perds de vue, ce qui arrive souvent, je parviens à le suivre à l'oreille.

Ce jeu de piste éprouvant se poursuit pendant environ une demi-heure. Soudain, je n'entends plus l'homme qui me précède. Je m'arrête et écoute. La jungle est plongée dans le silence. Je suis terrifié à l'idée d'avoir perdu sa trace. Je continue d'avancer à pas feutrés et tout à coup, à travers l'épaisseur des sous-bois, j'aperçois devant moi une petite clairière au milieu de laquelle deux cabanes ont été construites. Elles sont petites et entièrement constituées de feuilles et de branchages. Mon cœur fait un bond dans ma poitrine et je sens une vague d'excitation monter en moi car c'est l'endroit, j'en suis sûr, où vit le yogi Banerjee.

Le disciple a déjà disparu. Il a dû entrer dans l'une des cabanes. Tout est silencieux. J'entreprends alors d'inspecter prudemment les arbres, les buissons et tout ce qui entoure la clairière. Il y a un petit trou d'eau, à côté de la plus proche des cabanes, et je distingue à proximité un tapis de prière. « C'est là, me dis-je, que Banerjee médite et prie. » À moins d'une trentaine de mètres de ce trou d'eau se dresse un grand arbre, un immense baobab qui déploie de belles branches au feuillage épais dans lesquelles on peut faire un lit et s'étendre sans que personne vous voie du sol. « Ce sera mon arbre, me dis-je. Je m'y cacherai en attendant que Banerjee sorte pour prier. Je pourrai alors l'observer attentivement. »

Mais le disciple m'a dit que la prière n'avait pas lieu avant cinq ou six heures du soir, j'ai donc plusieurs heures à attendre. Je traverse alors la jungle dans l'autre sens, jusqu'à la route, pour aller parler au cocher du *tonga*. Je lui dis qu'il lui faudra attendre, lui aussi. Pour cela, je dois lui donner un peu plus d'argent mais c'est sans importance car à présent, je suis dans un tel état d'excitation que je ne me soucie plus de rien d'autre, pas même d'argent.

Dans la forte chaleur de midi, j'attends à côté du *tonga*, j'attends encore dans l'humidité étouffante de l'après-midi et enfin, lorsqu'il est près de cinq heures, je retraverse la jungle jusqu'à la cabane, le plus silencieusement possible, mon cœur battant si vite que je le sens ébranler tout mon corps. Je grimpe à mon arbre et me cache parmi les feuillages de telle sorte que je peux voir sans être vu. Une nouvelle attente commence. J'attends pendant trois quarts d'heure.

Une montre ? Oui, j'ai un bracelet-montre. Je m'en souviens très bien. Je l'avais gagné dans une tombola et j'en étais très fier. Sur le cadran, il y avait le nom du fabricant, « The Islamia Watch Co., Ludhiana ». Ma montre va me permettre de suivre très attentivement le déroulement des événements, car je veux me rappeler chaque détail de cette expérience.

Assis dans l'arbre, je continue d'attendre.

Soudain, un homme sort d'une des cabanes. Il est grand et mince, habillé d'un *dhoti* orange, et porte devant lui un plateau chargé de pots de cuivre et d'un brûleur d'encens. Il va s'asseoir en tailleur sur le tapis de prière, près du trou d'eau, posant le plateau par terre devant lui. Chacun de ses mouvements est empreint de calme et de douceur. Il se penche en avant, vers la petite mare, recueille un peu d'eau dans ses mains et la jette par-dessus son épaule. Puis il prend le brûleur d'encens et le passe devant sa poitrine, d'un côté et de l'autre, lentement, dans un mouvement doux et fluide. Il pose ensuite ses mains à plat sur ses genoux et marque une pause. Il respire profondément par le nez. Je le vois prendre une longue inspiration et soudain, son visage change, une sorte d'illumination l'éclaire, une sorte de... oui, c'est cela, sa peau s'illumine et son visage n'est plus le même.

Pendant quatorze minutes exactement, il demeure immobile dans cette position et, tandis que je l'observe, je vois – je vois avec certitude – son corps quitter le sol, lentement... lentement... lentement. Il est toujours assis en tailleur, les paumes sur ses genoux et tout son corps s'élève dans les airs avec lenteur. Je vois la lumière du jour filtrer au-dessous de lui. Il est assis à trente centimètres de hauteur...

puis à quarante... quarante-cinq... cinquante... et bientôt, il est au moins à soixante centimètres au-dessus du tapis de prière.

Je reste dans mon arbre à l'observer sans bouger, en me répétant sans cesse : « Regarde attentivement. Là, devant toi, à trente mètres de distance, un homme est assis en l'air, dans une grande sérénité. Le vois-tu vraiment ? Oui, je le vois. Mais es-tu bien sûr qu'il ne s'agisse pas d'une illusion ? Es-tu bien sûr qu'il n'y ait pas tromperie ? Es-tu bien sûr que ce ne soit pas l'effet de ton imagination ? En es-tu sûr ? Oui, j'en suis sûr », me dis-je. Je le fixe des yeux, émerveillé. Pendant un long moment, je continue à l'observer puis, enfin, son corps redescend doucement, lentement, se rapprochant du sol jusqu'à ce que ses fesses reposent à nouveau sur le tapis de prière.

Pendant quarante-six minutes, d'après ma montre, le corps avait flotté dans les airs ! J'avais compté.

Ensuite, pendant un long moment, pendant plus de deux heures, l'homme demeure assis dans une immobilité absolue, comme s'il avait été en pierre, sans le moindre mouvement. À mes yeux, il ne semble même pas respirer. Ses paupières sont closes et son visage toujours illuminé. Il a l'air aussi de sourire légèrement, dans une expression que, depuis, je n'ai plus jamais vue de ma vie chez qui que ce soit.

Enfin, il remue à nouveau. Il bouge les mains. Il se lève. Il se baisse, ramasse le plateau et retourne lentement dans sa cabane. Je suis ébloui. Je ressens une grande exaltation. Oubliant toute prudence, je descends rapidement de l'arbre, cours vers la cabane et me précipite à l'intérieur. Banerjee, penché en avant, se lave les pieds et les mains dans une bassine. Il me tourne le dos, mais il m'entend, se retourne aussitôt et se relève. Son visage exprime une grande surprise et il commence par me dire :

– Depuis combien de temps êtes-vous là ?

Il a parlé sèchement, comme s'il n'était pas content.

Je lui révèle tout de suite la vérité, je lui raconte toute l'histoire, comment je suis monté dans l'arbre pour l'observer, et enfin, je lui dis que mon seul désir dans la vie est de devenir son disciple. Veut-il bien m'accepter ?

Il semble soudain exploser. Il devient furieux et se met à crier.

– Sortez ! hurle-t-il. Sortez d'ici ! Sortez ! Sortez ! Sortez !

Dans sa fureur, il ramasse une petite brique qu'il jette sur moi. La brique m'atteint juste au-dessous du genou et m'entaille la chair. J'ai encore la cicatrice. Je vais vous la montrer. Là, vous voyez, juste au-dessous du genou.

La colère de Banerjee est terrible. J'ai très peur. Je fais volte-face et m'enfuis. Je retraverse la jungle jusqu'à l'endroit où le cocher du *tonga* m'attend et nous retournons à Rishikesh. Mais le même soir, je retrouve mon courage. Je prends une décision qui est celle-ci : je retournerai chaque jour à la cabane de Banerjee et je le harcèlerai jusqu'à ce qu'il soit finalement *obligé* de me prendre comme disciple, simplement pour avoir la paix.

C'est ce que je fais. Je vais le voir chaque jour et chaque jour, sa colère explose comme un volcan, il crie, vocifère, et je reste là, effrayé mais obstiné, en lui répétant sans cesse que je veux devenir son disciple. Cela dure cinq jours. Puis, soudain, à ma sixième visite, Banerjee semble devenu très calme, très poli. Il m'explique qu'il ne peut me prendre lui-même comme disciple. Mais il écrira un mot pour me recommander à un autre homme, un de ses amis, un grand yogi, qui habite Hardwar. Je dois aller là-bas où je recevrai de l'aide et un enseignement.

Imhrat Khan s'interrompit et me demanda s'il pouvait avoir un verre d'eau. J'allai lui en chercher un. Il but longuement, lentement, puis reprit son histoire :

Nous sommes en 1922 et j'ai presque dix-sept ans. Je vais donc à Hardwar et là, je trouve le yogi.

Comme j'ai une lettre de recommandation du grand Banerjee, il consent à me délivrer son enseignement.

En quoi consiste cet enseignement?

C'est, bien sûr, le point essentiel de toute cette histoire. C'est tout ce que j'ai désiré et recherché, vous pouvez donc imaginer que je suis un élève avide d'apprendre.

Le premier stade de l'enseignement, la partie la plus élémentaire, consiste à pratiquer des exercices physiques d'une très grande difficulté, qui ont pour objet le contrôle des muscles, et la respiration. Mais après quelques semaines de ce régime, même le plus avide des élèves devient impatient. J'explique alors au yogi que ce sont mes pouvoirs mentaux que je veux développer, pas mes pouvoirs physiques.

– Si tu développes le contrôle de ton corps, réplique-t-il, le contrôle de ton esprit deviendra automatique.

Mais je veux contrôler les deux en même temps et je ne cesse de lui poser des questions à ce sujet. Il finit par me répondre :

– Très bien, je vais te donner des exercices à faire pour t'aider à concentrer ton esprit conscient.

– Mon esprit *conscient*? dis-je. Pourquoi parlez-vous d'esprit *conscient*?

– Parce que chaque homme possède deux esprits, le conscient et le subconscient. L'esprit subconscient est hautement concentré mais l'esprit conscient, celui dont tout le monde se sert quotidiennement, est dispersé, dépourvu de concentration. Il s'occupe de milliers de choses différentes, les choses qu'on voit autour de soi et les choses auxquelles on pense. Tu dois donc le concentrer d'une telle façon que tu puisses visualiser à volonté *un objet*, un seul objet, et absolument rien d'autre. Si tu y travailles suffisamment, tu devrais pouvoir concentrer ton esprit, ton esprit conscient, pendant au moins trois minutes et demie sur n'importe quel objet que tu auras choisi. Mais cela te prendra une quinzaine d'années.

Je m'exclame :

– Quinze ans !

– Peut-être plus, dit-il. Quinze ans, c'est une moyenne.

– Mais je serai un vieil homme, à ce moment-là !

– Ne désespère pas, répondit le yogi. Le temps varie selon les individus. Certains mettent dix ans, d'autres moins et en de très rares occasions, il arrive que quelqu'un de particulièrement doué y parvienne en un ou deux ans seulement. Mais cela se produit une fois sur un million.

Je demande :

– Qui sont ces gens particulièrement doués ? Ont-ils l'air différents des autres ?

– Ils sont pareils, répond-il. Cette personne très douée peut être un humble balayeur des rues ou un ouvrier d'une usine. Mais il peut aussi s'agir d'un rajah. Il n'y a aucun moyen de le savoir avant que l'apprentissage ait commencé.

– C'est donc tellement difficile de concentrer son esprit sur un seul objet pendant trois minutes et demie?

– C'est presque impossible, m'assure-t-il. Essaye et tu verras. Ferme les yeux et pense à quelque chose. Pense à un seul objet. Visualise-le. Regarde-le comme s'il était devant toi. Et tu verras que quelques secondes plus tard, ton esprit commencera à vagabonder. D'autres petites pensées se faufileront. D'autres visions te viendront en tête. C'est une chose très difficile.

Ainsi parla le yogi de Hardwar.

Mes vrais exercices commencent alors. Chaque soir, je m'assieds, je ferme les yeux et je me représente le visage de la personne que j'aime le plus au monde, c'est-à-dire mon frère. Je me concentre sur son image. Mais dès l'instant où mon esprit commence à vagabonder, j'arrête l'exercice et je me repose pendant quelques minutes. Puis je recommence.

Après trois années d'entraînement quotidien, j'arrive à me concentrer entièrement sur le visage de mon frère pendant une minute et demie. Je fais des progrès. Mais quelque chose d'intéressant se produit. En me livrant à ces exercices, je perds complètement mon odorat. Et jusqu'aujourd'hui, je ne l'ai jamais retrouvé.

Puis la nécessité de gagner ma vie pour pouvoir manger m'oblige à quitter Hardwar. Je vais à Calcutta où il y a davantage de possibilités et là, je commence bientôt à gagner pas mal d'argent en donnant un spectacle de prestidigitation. Mais je continue toujours mes exercices. Chaque soir, où que je sois, je m'installe dans un coin tranquille et je m'entraîne à concentrer mon esprit sur le visage de mon frère. Parfois, je choisis quelque chose de moins personnel, comme par exemple une orange ou une paire de lunettes, ce qui ajoute encore à la difficulté.

Un jour, je quitte Calcutta pour Dacca, au Bengale oriental, où je dois donner un spectacle dans une université. Et à Dacca, j'assiste par hasard à une démonstration de marche sur le feu. Il y a beaucoup de monde. Une longue tranchée a été creusée au pied d'une pente herbeuse. Les spectateurs sont assis sur la pelouse par centaines et regardent la tranchée.

Celle-ci fait environ huit mètres de longueur. Elle a été remplie de bûches, de bois de chauffage et de charbon sur lesquels on a versé une bonne quantité de paraffine. La paraffine a été enflammée et au bout d'un moment toute la tranchée est devenue une fournaise chauffée au rouge. Elle est si brûlante que les hommes chargés d'alimenter le feu sont obligés de porter des lunettes de protection. Un vent fort attise les charbons qui deviennent presque blancs de chaleur.

L'Indien qui doit marcher sur le feu s'avance alors. Il est presque nu, ne portant qu'un simple pagne, et ses pieds aussi sont nus. La foule devient silencieuse. Le marcheur descend dans la tranchée et parcourt toute sa longueur, sur les charbons brûlants. Il ne s'arrête pas. Il ne se hâte pas. Il marche simplement sur les charbons chauffés à blanc et ressort de l'autre côté de la tranchée. Puis il montre à la foule la plante de ses pieds. Ils ne sont même pas roussis. Les spectateurs contemplent le prodige d'un air stupéfait.

Le marcheur parcourt ensuite la tranchée dans l'autre sens. Cette fois, il avance encore plus lentement et je vois sur son visage une expression de concentration pure, absolue. « Cet homme, me dis-je, a pratiqué le yoga. C'est un yogi. »

Après le spectacle, l'homme s'adresse à la foule, demandant si quelqu'un serait assez courageux pour venir à son tour marcher sur le feu. Un grand silence s'établit. Je ressens dans ma poitrine une vague soudaine d'excitation. Voilà ma chance. Je dois la saisir. Il faut que j'aie foi et courage. Je *dois* essayer. Je fais mes exercices de concentration depuis plus de trois ans, maintenant, et le moment est venu de me mettre sérieusement à l'épreuve.

Alors que je reste là à remuer ces pensées, un volontaire sort de la foule. C'est un jeune Indien. Il déclare qu'il voudrait bien essayer de marcher sur le feu. Son geste me décide et je m'avance à mon tour pour annoncer que moi aussi, je suis volontaire. La foule nous acclame tous les deux.

À présent, le vrai marcheur sur le feu devient notre guide. Il dit à l'autre homme d'essayer le premier. Il lui fait enlever son *dhoti*, sinon, dit-il, l'ourlet s'enflammera sous l'effet de la chaleur. Il faut également ôter les sandales.

Le jeune Indien s'exécute. Maintenant qu'il est à côté de la tranchée et qu'il ressent la terrible chaleur qui s'en dégage, il commence à avoir peur. Il recule de quelques pas, se protégeant les yeux avec les mains.

– Tu n'es pas obligé de le faire, si tu ne veux pas, dit le marcheur.

La foule attend et regarde, sentant qu'un drame se noue.

Le jeune homme, bien qu'il soit terrorisé, veut prouver son courage et dit :

– Bien sûr que si, je vais le faire.

Il se rue sur la tranchée et y descend, un pied d'abord, puis l'autre. Il pousse alors un cri effrayant, ressort d'un bond de la fournaise et s'effondre par terre. Le malheureux est allongé sur le sol, il hurle de douleur. La plante de ses pieds est gravement brûlée, des lambeaux de peau se sont détachés. Deux de ses amis se précipitent et l'emmènent.

– C'est ton tour, à présent, dit le marcheur. Tu es prêt?

– Je suis prêt, réponds-je. Mais je voudrais qu'on ne fasse plus aucun bruit pendant que je me prépare.

La foule est plongée dans le silence. On vient de voir un homme se brûler cruellement. Le deuxième sera-t-il assez dément pour l'imiter?

Quelqu'un dans la foule crie :

– N'essaye pas! Il faut être fou!

D'autres reprennent ce cri, ils me disent d'abandonner. Je me tourne vers eux et lève la main pour demander le silence. Ils arrêtent de crier et m'observent. Tous les regards sont fixés sur moi, à présent.

Je me sens extraordinairement calme.

J'ôte mon *dhoti* en le faisant passer par-dessus ma tête, j'enlève mes sandales. Je suis quasiment nu, je n'ai plus qu'un sous-vêtement. Je me tiens totalement immobile et je ferme les yeux. Puis je commence à concentrer mon esprit. Je le concentre sur le feu. Je ne vois plus rien d'autre que des charbons chauffés à blanc et, par la concentration, je me persuade qu'ils ne sont pas brûlants mais froids. « Les charbons sont froids, me dis-je. Ils ne peuvent pas me brûler. Il est impossible qu'ils me brûlent car il n'y a aucune chaleur en eux. » Je m'accorde une minute avant d'y aller. Je sais que je ne dois pas attendre trop longtemps parce que je ne suis pas capable de me concentrer plus d'une minute et demie sur un objet unique.

Je maintiens ma concentration, elle est si intense qu'une sorte de transe me saisit. Je m'avance alors sur les charbons. Je parcours assez vite toute la longueur de la tranchée. Et, merveille, je ne me suis pas brûlé!

La foule est en délire. Elle pousse des cris, des acclamations. Le premier marcheur se précipite sur moi pour examiner la plante de mes pieds. Il n'en croit pas ses yeux. Elles ne portent pas la moindre trace de brûlure.

– Ouiiii! s'écrie-t-il. Comment se fait-il? Tu es un yogi?

– Je suis sur la voie pour le devenir, monsieur, lui réponds-je fièrement. Et je me suis bien avancé sur cette voie.

Puis je me rhabille et m'en vais rapidement, évitant la foule.

Bien entendu, je suis surexcité. « Ça vient, me dis-je. Maintenant, au moins, le pouvoir commence à venir. » Et je me souviens d'autre chose pendant tout ce temps. Je me rappelle les paroles prononcées par le vieux yogi de Hardwar. Il m'avait dit un jour : « Certaines saintes personnes étaient connues pour avoir développé une si grande faculté de concentration qu'elles parvenaient à voir sans se servir de leurs yeux. »

Cette phrase me revient toujours en mémoire et j'éprouve le désir profond de posséder le pouvoir qui me permettrait d'en faire autant. Après avoir réussi à marcher sur le feu, je décide alors de me concentrer sur un seul but : voir sans les yeux.

Pour la deuxième fois seulement, Imhrat Khan interrompit son récit. Il but une autre gorgée d'eau puis s'appuya contre le dossier de son fauteuil et ferma les yeux.

– J'essaye de tout raconter dans le bon ordre, dit-il. Je ne veux rien oublier.

– Vous y parvenez très bien, lui répondis-je. Continuez.

– Parfait, reprit-il. J'habite donc toujours à Calcutta et je viens de réussir à marcher sur le feu. À présent, j'ai décidé de concentrer toute mon énergie sur cet objectif unique qui consiste à voir sans les yeux.

Le moment est venu, par conséquent, de procéder à un léger changement dans mes exercices. Chaque nuit, maintenant, j'allume une chandelle et je me mets à fixer la flamme. Vous le savez, la flamme d'une chandelle comporte trois parties, le jaune au sommet, le mauve en dessous et le noir à l'intérieur.

Je place la chandelle à quarante centimètres de mon visage. La flamme se trouve exactement à la hauteur de mes yeux. Elle ne doit être ni au-dessus, ni au-dessous. Elle doit être juste au même niveau car alors, je n'ai pas besoin de faire le moindre mouvement des muscles de l'œil en levant ou en baissant le regard. Je m'installe confortablement et je commence à fixer la partie noire de la flamme, en plein milieu. Tout cela sert simplement à concentrer mon esprit conscient, à le vider de tout ce qui m'entoure. Je contemple donc le point noir de la flamme jusqu'à ce que tout ait disparu alentour et que je ne puisse rien voir d'autre. Puis lentement, je ferme les yeux et me concentre comme d'habitude sur un unique objet qui est généralement, comme je vous l'ai dit, le visage de mon frère.

Je le fais chaque soir avant d'aller me coucher et en 1929, alors que j'ai vingt-quatre ans, je suis capable de me concentrer sur un objet pendant trois minutes sans que mon esprit s'égare ailleurs. C'est à cette époque, à l'âge de vingt-quatre ans donc, que je commence à prendre conscience d'une faculté encore très faible qui me permet de voir un objet en gardant les paupières closes. Comme je vous le dis, cette faculté est infime, elle se résume à l'étrange impression que, lorsque je ferme les yeux en regardant quelque chose intensément, avec une implacable concentration, j'arrive à distinguer les contours de l'objet qui est devant moi.

Lentement, je commence à développer mon sens *interne* de la vision.

Vous vous demandez sans doute ce que je veux dire par là. Je vais vous l'expliquer, exactement comme le yogi de Hardwar me l'a expliqué lui-même.

Nous avons deux sens de la vision, de même que nous avons deux sens de l'odorat, du goût et de l'ouïe. Il y a le sens externe, celui hautement développé dont nous nous servons tous, mais aussi le sens *interne*. Si seulement nous parvenions à développer également nos sens internes, nous pourrions alors sentir sans le nez, goûter sans la langue, entendre sans les oreilles et voir sans les yeux. Vous ne comprenez pas? Ne voyez-vous pas que notre nez, notre langue, nos oreilles, nos yeux sont seulement... comment dirais-je?... des instruments qui nous aident à transmettre la sensation elle-même à notre cerveau?

Et donc je m'efforce sans relâche de développer mon sens interne de la vision. Chaque soir, à présent, j'accomplis mes exercices habituels avec la flamme d'une chandelle et l'image de mon frère. Ensuite, je me repose un peu. Je bois une tasse de café. Puis je me bande les yeux et m'assieds dans mon fauteuil en essayant de visualiser, de voir – non pas d'imaginer, mais de *voir* véritablement sans les yeux tous les objets qui se trouvent dans la pièce.

Et peu à peu, je sens que j'y parviens.

Bientôt, je travaille avec un jeu de cartes. Je prends la première du paquet et la tiens le dos vers moi, essayant de voir à travers. Ensuite, un crayon à la main, j'écris ce que je pense avoir vu. Je prends une autre carte et je recommence. Je vais ainsi jusqu'au bout du jeu et lorsque j'ai terminé, je vérifie ce que j'ai écrit en reprenant les cartes dans l'ordre. Presque tout de suite, j'obtiens un taux de réussite de soixante à soixante-dix pour cent.

J'emploie d'autres méthodes. J'achète des cartes de géographie, notamment des cartes marines compliquées, et je les épingle aux murs, tout autour de ma chambre. Je passe des heures à les regarder avec les yeux bandés, essayant de les voir, essayant de lire les noms des villes et des fleuves écrits en petites lettres. Chaque soir, pendant quatre ans, je me consacre à ce genre d'entraînement.

Au cours de l'année 1933 – c'est-à-dire l'année dernière seulement –, à l'âge de vingt-huit ans, je suis parvenu à lire un livre de cette manière. Avec les yeux complètement bandés, j'arrive à lire un livre de la première à la dernière page.

J'ai donc fini par l'acquérir, ce pouvoir. Je suis sûr de le posséder, désormais, et mon impatience est si grande que j'ajoute aussitôt à mon spectacle le numéro des yeux bandés.

Le public est enthousiaste. Il applaudit longuement, bruyamment. Mais il ne se trouve personne pour croire à l'authenticité du phénomène. Chacun pense qu'il s'agit d'un tour habile. Et le fait que je sois un prestidigitateur ne peut que renforcer l'idée que je triche. Les prestidigitateurs sont des gens qui vous trompent. Ils vous trompent grâce à leur dextérité. Et donc, personne ne me croit. Même les médecins à qui je demande de me bander les yeux de la manière la plus experte refusent d'admettre qu'il soit possible à qui que ce soit de voir sans les yeux. Ils oublient qu'il peut exister d'autres moyens d'envoyer une image au cerveau.

– Quels moyens? lui demandai-je.

– En toute franchise, je ne sais pas exactement comment j'arrive à voir sans mes yeux. Mais je sais au moins ceci : lorsque mes yeux sont bandés, je ne m'en sers pas du tout. La vision se fait par l'intermédiaire d'une autre partie de mon corps.

– Quelle partie? insistai-je.

– N'importe quelle partie, du moment que la peau est nue. Par exemple, si vous placez devant moi une feuille de métal avec un livre derrière, je ne pourrai pas lire ce livre. Mais si vous m'autorisez à glisser ma main de l'autre côté de la feuille de métal, de telle sorte que ce soit ma main qui voie le livre, alors je pourrai le lire.

– Cela vous ennuierait-il que je vous soumette à cette expérience? demandai-je.

– Pas du tout, répondit-il.

– Je n'ai pas de feuille de métal, dis-je, mais la porte fera l'affaire.

Je me levai et m'approchai de la bibliothèque dans laquelle je pris le premier livre qui me tomba sous la main. C'était *Alice au pays des merveilles*. J'ouvris la porte et priai mon invité de se placer derrière, hors de vue. J'ouvris le livre au hasard et l'appuyai contre le dossier d'une chaise, de l'autre côté de la porte. Puis je me plaçai à un endroit où je pouvais voir à la fois le livre et Imhrat Khan.

– Parvenez-vous à lire ce livre? lui demandai-je.

– Non, répondit-il, bien sûr que non.

– Très bien. Vous pouvez maintenant passer la main derrière la porte, mais seulement la main.

Il glissa sa main de l'autre côté du panneau, jusqu'à ce qu'elle soit dans l'axe du livre. Je vis alors ses doigts se séparer les uns des autres, puis s'écarter largement. Ils furent bientôt parcourus d'un léger frémissement, comme s'ils sentaient l'air à la manière des antennes d'un insecte. Puis sa main se tourna, le dos vers le livre.

– Essayez de lire la page de gauche en commençant par le début, dis-je.

Il y eut un silence qui dura peut-être une dizaine de secondes, puis, d'une traite, sans la moindre hésitation, il se mit à lire :

– « *"Avez-vous trouvé la réponse à la devinette"? demanda le chapelier en se tournant à nouveau vers Alice. "Non, j'abandonne, répondit celle-ci. Quelle est la réponse?" "Je n'en ai pas la moindre idée", dit le chapelier. "Moi non plus", dit le lièvre. Alice poussa un soupir de lassitude. "Je pense que vous pourriez consacrer votre temps à des choses plus utiles que de poser des devinettes qui n'ont pas de réponse", dit-elle.* »

– C'est parfait! m'écriai-je. Maintenant, je vous crois! Vous êtes un miracle vivant!

J'étais dans un état de grande exaltation.

– Merci, docteur, répondit-il gravement. Ce que vous venez de me dire me fait un grand plaisir.

– Encore une question, repris-je. C'est au sujet des cartes à jouer. Lorsque vous les teniez le dos vers vous, placiez-vous votre main de l'autre côté pour vous aider à les lire?

– Vous êtes très perspicace, dit-il. Non, je ne le faisais pas. Dans le cas des cartes à jouer, j'étais véritablement capable de voir au travers, d'une certaine manière.

– Comment l'expliquez-vous? demandai-je.

– Je ne l'explique pas, répondit-il. Sauf que peut-être une carte à jouer est un objet très léger, très mince, et non pas solide comme du métal ou épais comme une porte. C'est la seule explication que je puisse fournir. Il y a tant de choses dans le monde que nous ne pouvons expliquer, docteur.

– Oui, admis-je. Il y en a beaucoup, en effet.

– Seriez-vous assez aimable pour me ramener à la maison, maintenant? dit-il. Je me sens très fatigué.

Je le reconduisis alors chez lui dans ma voiture.

Cette nuit-là encore, je ne me couchai pas. J'étais beaucoup trop agité pour pouvoir dormir. Je venais d'assister à un miracle. Devant un tel homme, tous les médecins du monde feraient des sauts périlleux! Il pouvait entièrement changer l'évolution de la médecine! Du point de vue médical, il était sans doute l'homme vivant le plus précieux au monde! Nous autres médecins devions mettre la main sur lui et assurer sa sécurité. Nous devions en prendre soin, ne pas le laisser partir. Nous devions découvrir par quel phénomène exactement une image peut être envoyée au cerveau sans l'intermédiaire des yeux. Si nous y parvenions, alors les aveugles pourraient voir et les sourds pourraient entendre. Cet homme incroyable ne devait surtout pas être ignoré, il ne fallait pas le laisser vagabonder en Inde, habiter dans des chambres bon marché et se produire dans des théâtres de second ordre.

J'étais dans un tel état d'effervescence en pensant à tout cela qu'au bout d'un moment, je pris un cahier et un stylo et commençai à écrire avec le plus grand soin tout ce qu'Imhrat Khan m'avait dit ce soir-là. J'utilisai les notes que j'avais prises pendant qu'il parlait. J'écrivis ainsi pendant cinq heures d'affilée. Et à huit heures du matin le lendemain, lorsque le moment fut venu de me rendre à l'hôpital, j'avais fini la partie la plus importante, les pages que vous venez de lire.

À l'hôpital, ce matin-là, je ne revis le docteur Marshall que dans la salle de repos des médecins, à l'heure du thé.

Au cours des dix minutes dont nous disposions, je lui racontai le plus de choses possible.

– Je retourne au théâtre ce soir, lui annonçai-je. Il *faut* que je lui parle à nouveau. Je dois le convaincre de rester ici. Nous ne devons pas le perdre.

– Je vais venir avec vous, dit le docteur Marshall.

– D'accord, approuvai-je. Nous commencerons par voir le spectacle et ensuite nous l'emmènerons souper.

Le soir, à sept heures moins le quart, je conduisis le docteur Marshall dans Acacia Road. Je garai la voiture et nous nous rendîmes tous les deux au Royal Palace Hall.

– Il y a quelque chose qui ne va pas, remarquai-je. Où est le public?

Il n'y avait aucune foule devant le théâtre et les portes étaient fermées. L'affiche annonçant le spectacle était toujours à sa place mais quelqu'un avait écrit en travers, à la peinture noire et en grosses lettres capitales : LA REPRÉSENTATION DE CE SOIR EST ANNULÉE. Un vieux gardien se tenait devant les portes closes.

– Que s'est-il passé ? lui demandai-je.

– Quelqu'un est mort, répondit-il.

– Qui ? dis-je en sachant déjà de qui il s'agissait.

– L'homme qui voit sans ses yeux, répondit le gardien.

– Comment est-il mort ? m'écriai-je. Quand ? Où ?

– Il paraît qu'il est mort dans son lit, déclara le gardien. Il s'est endormi et ne s'est pas réveillé. Ce sont des choses qui arrivent.

D'un pas lent, nous retournâmes à la voiture. J'étais submergé par le chagrin et la colère. Jamais je n'aurais dû laisser cet homme si précieux retourner chez lui la veille. J'aurais dû le garder auprès de moi. J'aurais dû lui donner mon lit et prendre soin de lui. Je n'aurais jamais dû le perdre de vue. Imhrat Khan était un faiseur de miracles. Il était entré en contact avec des forces mystérieuses, dangereuses, hors d'atteinte des gens ordinaires. Il avait aussi violé toutes les règles. Il avait accompli des miracles en public. Et il s'était fait payer pour cela. Pire que tout, il avait révélé quelques-uns de ses secrets à un étranger – moi. À présent, il était mort.

– Alors, tout s'arrête là, dit le docteur Marshall.

– Oui, répondis-je, c'est fini. Personne ne saura jamais comment il s'y prenait.

Ceci est le compte rendu exact et authentique de tout ce qui s'est passé lors de mes deux rencontres avec Imhrat Khan.

Signé John F. Cartwright, docteur en médecine.
Bombay, le 4 décembre 1934

– Tiens, tiens, tiens, dit Henry Sugar. Voilà qui est extrêmement intéressant.

Il referma le cahier et resta assis à contempler la pluie qui s'écrasait contre les fenêtres de la bibliothèque.

– Ce texte, poursuivit Henry Sugar à haute voix, contient une formidable révélation qui pourrait changer ma vie.

La révélation dont parlait Henry, c'était la faculté qu'Imhrat Khan avait acquise de lire les cartes à jouer en les regardant de dos. Henry le joueur, un joueur plutôt malhonnête, avait tout de suite compris qu'il pourrait amasser une fortune s'il parvenait à en faire autant.

Pendant quelques instants, son esprit s'attarda sur les merveilleuses possibilités qui s'offriraient à lui s'il parvenait à lire les cartes par-derrière. Il gagnerait à chaque fois à la canasta, au bridge, au poker. Mieux encore, il pourrait aller dans n'importe quel casino du monde et tout rafler au black-jack et aux autres jeux de cartes où l'on misait gros.

Dans les casinos, comme le savait très bien Henry, presque tout dépendait en définitive d'une seule carte et si l'on connaissait d'avance la valeur de cette carte, alors, c'était dans la poche!

Mais pourrait-il y parvenir? Pourrait-il véritablement s'entraîner à faire cela?

Il ne voyait pas ce qui l'en empêcherait. Cette histoire de fixer la flamme d'une chandelle ne paraissait pas particulièrement difficile. Et selon le livre, tout, en fait, se réduisait à cet exercice – regarder le centre d'une flamme et essayer de se concentrer sur le visage de la personne qu'on aimait le plus au monde.

Il lui faudrait sans doute plusieurs années pour y arriver, mais qui donc hésiterait à s'entraîner pendant quelques années s'il pouvait ensuite gagner dans tous les casinos où il entrait?

– Grand Dieu, dit-il à haute voix. Je vais le faire! J'y parviendrai!

Il resta assis immobile dans son fauteuil, au milieu de la bibliothèque, réfléchissant à un plan de campagne. Avant tout, il ne fallait parler à personne de ce qu'il préparait. Il allait voler le petit livre pour éviter que ses amis ne tombent dessus et découvrent à leur tour le secret. Il le garderait sur lui partout où il irait. Ce serait sa bible. Il lui était impossible de trouver un véritable yogi qui lui transmette son enseignement, ce serait donc le livre qui lui tiendrait lieu de yogi. Le livre serait son maître.

Henry se leva et glissa le petit cahier bleu dans sa veste. Il sortit de la bibliothèque et monta directement à la chambre qu'on lui avait donnée pour le week-end. Il sortit alors sa valise et cacha le livre sous ses vêtements. Puis il redescendit et trouva le chemin de l'office.

– John, dit-il en s'adressant au majordome, pourriez-vous me trouver une chandelle ? Une simple chandelle blanche.

Les majordomes sont habitués à ne pas chercher à comprendre. Ils se contentent d'obéir aux ordres.

– Voulez-vous également un bougeoir, monsieur ?

– Oui. Une chandelle et un bougeoir.

– Très bien, monsieur. Dois-je vous les apporter dans votre chambre ?

– Non, je vais vous attendre ici jusqu'à ce que vous les ayez trouvés.

Le majordome dénicha bientôt une chandelle ainsi qu'un bougeoir.

– Pourriez-vous maintenant m'apporter une règle ?

Le majordome alla lui chercher une règle. Henry le remercia et retourna dans sa chambre.

Lorsqu'il y fut entré, il verrouilla la porte. Il ferma tous les rideaux, plongeant la pièce dans la pénombre. Il posa ensuite le bougeoir et sa chandelle sur la table de toilette et approcha une chaise. Une fois assis, il nota avec satisfaction que ses yeux étaient exactement au niveau de la mèche. À l'aide de la règle, il plaça son visage à quarante centimètres de la chandelle, conformément à ce que recommandait le livre.

Cet Indien s'était ensuite représenté dans son esprit l'image de la personne qu'il aimait le plus au monde, en l'occurrence son frère. Henry n'avait pas de frère. Il décida de se représenter plutôt son propre visage. Le choix était pertinent, car lorsqu'on est égoïste, égocentrique, comme l'était Henry, c'est sans nul doute son propre visage qu'on aime le plus au monde. C'était aussi le visage qu'il *connaissait* le mieux. Il passait tant de temps à le regarder dans la glace qu'il en connaissait chaque repli, chaque ride.

Il alluma la mèche avec son briquet. Une flamme jaune jaillit et brûla avec régularité.

Henry s'assit sans bouger et fixa la flamme de la chandelle. Ce qui était écrit dans le livre était parfaitement vrai. La flamme, quand on la regardait de près, comportait trois parties. L'extérieur était jaune.

Il y avait le mauve dans la partie inférieure. Et en plein centre, on voyait le petit point magique, totalement noir. Il observa le minuscule point noir, fixa ses yeux dessus et le regarda longuement. Une chose extraordinaire se produisit alors. Son esprit se vida complètement, son cerveau cessa de s'agiter et il eut soudain l'impression que lui-même, son corps tout entier, se trouvait confiné dans la flamme, douillettement installé dans le néant que représentait le petit point noir.

Sans aucune difficulté, Henry laissa émerger dans sa tête l'image de son propre visage. Il se concentra sur ce visage, rien d'autre que ce visage, se fermant à toute pensée extérieure. Il y réussit parfaitement mais pendant une quinzaine de secondes seulement. Ensuite, son esprit commença à vagabonder et il se surprit à penser à des casinos et aux sommes d'argent qu'il allait y gagner. Il détourna alors son regard de la chandelle et s'accorda un peu de repos.

Ce fut son tout premier effort. Il était enchanté. Il y était parvenu. Certes, il n'avait pas tenu très longtemps. Mais cet Indien non plus, à son premier essai.

Quelques minutes plus tard, il recommença. Tout se passa bien. Il n'avait pas de chronomètre mais il sentait qu'il avait tenu nettement plus longtemps qu'auparavant.

– C'est fantastique ! s'écria-t-il. Je vais y arriver ! Je le ferai !

Jamais rien au cours de sa vie n'avait suscité en lui une telle exaltation.

À compter de ce jour, où qu'il fût et quoi qu'il fît, Henry ne manquait jamais de s'entraîner avec la chandelle, chaque matin et chaque soir. Souvent, il s'entraînait aussi à midi. Pour la première fois de sa vie, il se lançait dans une entreprise avec un authentique enthousiasme. Et il réalisait des progrès remarquables. Six mois plus tard, il était capable de se concentrer entièrement sur son visage pendant pas moins de trois minutes, sans que la moindre pensée extérieure pénètre dans son esprit.

Le yogi de Hardwar avait dit à l'Indien qu'il fallait quinze ans de pratique pour obtenir un tel résultat!

Mais attention! Le yogi avait également dit autre chose. Il avait dit (et là, Henry consulta le petit cahier bleu pour la centième fois), il avait dit qu'en de très rares occasions, il arrive que quelqu'un de particulièrement doué y parvienne en un ou deux ans seulement.

– Comme moi! s'exclama Henry. Je dois être comme ça! Je suis cette personne sur un million qui a la faculté d'acquérir les pouvoirs d'un yogi à une vitesse incroyable! Youpi et hourra! Dans peu de temps, je ferai sauter la banque de tous les casinos d'Europe et d'Amérique!

Arrivé à ce point, Henry manifesta une patience et un bon sens qui lui étaient inhabituels. Il ne se précipita pas pour prendre un jeu de cartes afin de voir s'il parviendrait à les lire par-derrière. En fait, il se tint à l'écart de tous les jeux de cartes, quels qu'ils fussent. Dès qu'il eut commencé à s'entraîner avec la chandelle, il avait laissé tomber le bridge, la canasta et le poker. Plus encore, il avait cessé de passer ses soirées à mener la grande vie avec ses riches amis. Désormais, il se consacrait entièrement à ce seul objectif : acquérir des pouvoirs de yogi. Tout le reste devrait attendre jusqu'à ce qu'il y soit parvenu.

Au cours du dixième mois, Henry s'aperçut, tout comme Imhrat Khan avant lui, qu'il avait la faculté, encore très faible, de voir un objet avec les paupières closes. Lorsqu'il fermait les yeux en regardant quelque chose intensément, avec une implacable concentration, il réussissait à distinguer les contours de l'objet qui était devant lui.

– Ça vient ! s'écria-t-il. J'y arrive ! C'est fantastique !

À présent, il travaillait plus que jamais à ses exercices avec la chandelle et, à la fin de la première année, il parvenait à se concentrer sur l'image de son propre visage pendant pas moins de cinq minutes et demie !

Il décida alors que le moment était venu d'essayer avec des cartes à jouer. Il était près de minuit lorsqu'il prit cette résolution, dans le living-room de son appartement londonien. Tremblant d'excitation, il sortit un jeu de cartes, un papier et un crayon. Il posa le jeu devant lui, face cachée, et se concentra sur la première carte.

Tout ce qu'il put voir au début, c'était le motif qui figurait au dos de la carte. Il s'agissait d'un motif très ordinaire, composé de fines lignes rouges, l'un des plus courants qu'on puisse voir sur un jeu de cartes, n'importe où dans le monde. Il reporta alors sa concentration non pas sur le motif lui-même, mais sur l'autre côté de la carte. Il se concentra intensément sur la face invisible et empêcha toute autre pensée de s'insinuer dans son esprit. Trente secondes passèrent.

Puis une minute…

Deux minutes…

Trois minutes…

Henry ne bougeait pas. Sa concentration était totale, absolue. Il était en train de visualiser le côté opposé de la carte et ne laissait aucune autre pensée pénétrer dans sa tête.

Au cours de la quatrième minute, quelque chose se produisit. Lentement, magiquement, mais avec une grande clarté, les symboles noirs qu'il distinguait se transformèrent en piques et à côté des piques apparut le chiffre cinq.

Le cinq de pique!

Henry sortit alors de son état de concentration. Les doigts tremblants, il prit la carte et la retourna.

C'était le cinq de pique!

– J'ai réussi! s'écria-t-il en sautant de sa chaise. J'ai vu au travers! Je suis sur la bonne voie!

Après s'être reposé un moment, il essaya à nouveau et utilisa cette fois un chronomètre pour voir combien de temps il lui fallait. Au bout de trois minutes et cinquante-huit secondes, il vit que la carte suivante était le roi de carreau. Et il avait raison!

La fois suivante, il parvint à lire la carte au bout de trois minutes et cinquante-quatre secondes. Il avait mis quatre secondes de moins.

L'épuisement, l'exaltation le faisaient transpirer.

« C'est suffisant pour aujourd'hui », se dit-il.

Il se leva, se versa un énorme verre de whisky et s'assit pour se reposer et se réjouir de son succès.

Son travail désormais, songea-t-il, consisterait à s'entraîner sans relâche avec les cartes à jouer jusqu'à ce qu'il soit capable de voir au travers instantanément. Il était convaincu que c'était possible. Déjà, dès la deuxième tentative, il avait gagné quatre secondes par rapport à son temps précédent. Il cesserait ses exercices avec la chandelle et se concentrerait uniquement sur les cartes. Il s'y consacrerait jour et nuit.

C'est ce qu'il fit. Et à présent que le succès était en vue, il devenait plus fanatique que jamais. Il ne quittait plus son appartement, sauf pour acheter à manger et à boire. Toute la journée, et souvent jusque tard dans la nuit, il se penchait sur les cartes, le chronomètre à côté de lui, essayant de diminuer le temps qu'il mettait à lire leur face cachée.

En un mois, il tomba à une minute et demie.

Au bout de six mois d'une implacable concentration, il parvint à le faire en vingt secondes. Mais c'était encore trop long. Lorsqu'on joue au casino et que le croupier attend que vous disiez oui ou non pour donner la carte suivante, on ne vous autorise pas à la regarder pendant vingt secondes avant de vous décider. Trois ou quatre secondes sont admises. Mais pas plus.

Henry ne relâcha pas ses efforts. À présent, cependant, il devenait de plus en plus difficile d'améliorer sa vitesse. Passer de vingt à dix-neuf secondes exigea une semaine de travail intense. Pour descendre de dix-neuf à dix-huit, il lui fallut près de deux semaines. Il se passa encore sept mois avant qu'il puisse lire la face invisible de la carte en dix secondes pile.

Son objectif était d'y parvenir en quatre secondes. Il savait qu'être capable de voir à travers la carte en quatre secondes maximum était la condition de sa réussite dans les casinos. Mais plus il se rapprochait de son but, plus il était difficile de l'atteindre. Il mit quatre semaines à passer de dix à neuf secondes, et encore cinq semaines pour descendre à huit. Mais à ce stade, le travail intense ne le gênait plus. Son pouvoir de concentration s'était développé à un tel point qu'il pouvait travailler douze heures de suite sans la moindre difficulté. Et il avait la certitude qu'il arriverait à ses fins. Il ne s'arrêterait pas avant d'avoir triomphé. Jour après jour, nuit après nuit, il s'asseyait, penché sur ses cartes, son chronomètre à côté de lui, en proie à une lutte intense, terrible, pour éliminer ces dernières secondes opiniâtres.

Les trois ultimes secondes furent les pires. Pour passer de sept secondes à son objectif de quatre, il lui fallut exactement onze mois !

Le grand moment se produisit un samedi soir. Une carte était posée devant lui, face contre table. Il déclencha le chronomètre et commença à se concentrer. Aussitôt, il vit une tache rouge. La tache prit très vite forme et se changea en carreau. Alors, presque instantanément, le chiffre six apparut dans le coin supérieur gauche. Il arrêta le chronomètre et regarda le temps qu'il avait mis. Quatre secondes ! Il retourna la carte. C'était le six de carreau ! Il avait réussi ! Il avait lu la carte en quatre secondes pile !

Il essaya à nouveau avec une autre carte. En quatre secondes, il vit la reine de pique. Il continua ainsi jusqu'à la fin du paquet, chronométrant le temps à chaque carte. Quatre secondes ! Quatre secondes !

Quatre secondes! Toujours pareil. Il avait enfin atteint son but! C'était fini. Il pouvait y aller!

Combien de temps avait-il mis pour en arriver là? Il lui avait fallu exactement trois ans et trois mois d'un intense travail de concentration.

Et maintenant, direction les casinos!

Quand allait-il commencer?

Pourquoi pas le soir même?

C'était un samedi. Tous les casinos étaient bondés le samedi soir. Tant mieux. Il courait moins de risques de se faire remarquer. Il alla dans sa chambre mettre un smoking et un nœud papillon. Le samedi, il fallait s'habiller dans les grands casinos de Londres.

Il décida d'aller au Lord's House. Il y a plus d'une centaine de casinos légaux à Londres, mais ils ne sont pas ouverts au public. Il faut être membre du cercle pour avoir le droit d'y entrer. Henry était membre de dix cercles. Le Lord's House était son préféré. C'était le plus raffiné et le plus fermé du pays.

Le Lord's House était une magnifique demeure du temps des rois George, située au centre de Londres, et pendant plus de deux cents ans, elle avait été la résidence privée d'un duc. Maintenant, c'étaient les gens des casinos qui avaient pris la succession et les superbes salles aux hauts plafonds, où l'aristocratie et souvent des membres de la famille royale se rassemblaient jadis pour une paisible partie de whist, étaient aujourd'hui remplies d'un tout autre genre de visiteurs qui s'adonnaient à des jeux bien différents.

Henry se rendit au Lord's House et s'arrêta devant la grande entrée. Il sortit de sa voiture mais laissa tourner le moteur. Un employé en uniforme vert s'avança aussitôt pour aller la garer.

Le long des trottoirs, des deux côtés de la rue, s'alignaient une douzaine de Rolls Royce. Seuls les gens très riches étaient membres du Lord's House.

– Tiens, bonsoir, monsieur Sugar! dit l'homme qui se tenait derrière le comptoir de la réception et dont le travail consistait à ne jamais oublier un visage. Il y a des années que nous ne vous avions pas vu!

– J'étais occupé, répondit Henry.

Il monta le magnifique escalier aux rampes d'acajou sculpté et entra dans le bureau du caissier. Il remplit un chèque de mille livres et le caissier lui donna dix plaques rectangulaires en plastique rose. Sur chacune, il était écrit « 100 £ ». Henry les glissa dans sa poche et passa quelques minutes à se promener de salle en salle pour s'imprégner à nouveau de l'atmosphère des lieux, après une aussi longue absence. Il y avait foule, ce soir-là. Des dames bien en chair se tenaient autour de la roulette, telles des poules grasses autour d'une mangeoire. Or et bijoux dégoulinaient sur leur poitrine et de leurs poignets. Beaucoup d'entre elles avaient des cheveux gris agrémentés d'une teinte bleutée. Les hommes étaient en smoking et il n'y en avait pas un seul de grande taille parmi eux. « Pourquoi, se demanda Henry, ce genre d'hommes riches ont-ils toujours les jambes courtes ? Leurs jambes semblent s'arrêter aux genoux, sans cuisses au-dessus. » La plupart avaient des ventres largement proéminents, des visages écarlates et des cigares entre les lèvres. Leur regard étincelait de cupidité.

Henry remarqua tout cela. C'était la première fois de sa vie qu'il regardait avec dégoût ce type de riches joueurs de casino. Jusqu'à présent, il les avait toujours considérés comme des compagnons, des membres du même groupe, de la même classe que lui. Ce soir, ils lui paraissaient vulgaires.

Était-il possible, se demanda-t-il, que les pouvoirs du yoga qu'il avait acquis au cours des trois dernières années l'aient transformé ne serait-ce qu'un tout petit peu ?

Il regarda la roulette. Les joueurs plaçaient leur argent sur la longue table verte, essayant de deviner sur quel chiffre la petite bille blanche allait tomber au prochain coup. Henry regarda le cylindre. Et soudain, plus peut-être par habitude que pour toute autre raison, il se surprit à se concentrer sur lui. Ce n'était pas difficile. Il avait pratiqué depuis si longtemps l'art de la totale concentration que c'était devenu pour lui une sorte de routine. En une fraction de seconde, son esprit fut entièrement occupé par le cylindre de la roulette. Tout le reste, le bruit, les joueurs, les lumières, l'odeur des cigares, tout avait été balayé, il ne voyait plus que le cercle de chiffres blancs. Ils allaient de un à trente-six avec un zéro entre un et trente-six. Très vite, les chiffres se brouillèrent et disparurent de sa vue. Tous sauf un, tous sauf le dix-huit. C'était le seul qu'il pouvait voir. Au début, il parut légèrement estompé, un peu flou. Puis les bords devinrent plus nets et sa blancheur plus claire, plus brillante, jusqu'à ce qu'il se mette à luire comme si une vive lumière l'éclairait par-derrière. Il grandit de plus en plus et sembla bondir vers lui. À cet instant, Henry interrompit sa concentration. Le reste de la salle revint dans son champ de vision.

– Faites vos jeux, disait le croupier.

Henry prit une plaque de cent livres dans sa poche et la plaça sur la table verte, au milieu de la case qui portait le numéro dix-huit. La table était recouverte par les plaques des autres joueurs mais il n'y avait que la sienne sur le dix-huit.

Le croupier lança le cylindre. La petite bille blanche ricocha et sautilla autour du cercle. Les joueurs regardaient. Tous les yeux étaient fixés sur la bille. Le cylindre ralentit puis s'arrêta. La bille rebondit encore plusieurs fois, hésita, puis tomba en plein sur le chiffre 18.

– Dix-huit! annonça le croupier.

Il y eut un soupir dans la foule. L'assistant du croupier ramassa les piles de plaques perdantes à l'aide d'un râteau à long manche, mais il ne prit pas celle de Henry. On lui paya trente-six fois la mise. Avec ses cent livres, il en avait gagné trois mille six cents. Ils lui donnèrent son dû sous la forme de trois plaques de mille livres et six de cent.

Henry éprouva une extraordinaire sensation de puissance. Il sentait qu'il pourrait faire sauter la maison s'il le voulait. Il pouvait ruiner en quelques heures ce tripot élégant, mélange de puissance et de luxe. Il pouvait leur prendre un million de livres et tous ces *gentlemen* tirés à quatre épingles, au visage impassible, qui se tenaient autour des tables en regardant l'argent couler à flots s'enfuiraient soudain à toutes jambes comme des rats pris de panique.

Devait-il le faire?

C'était une grande tentation.

Mais ce serait la fin de tout. Il deviendrait célèbre et ne serait plus jamais admis dans un casino, où que ce soit dans le monde. Il ne fallait surtout pas faire ça. Il devait être très attentif à ne pas attirer l'attention sur lui.

Henry quitta la roulette d'un pas nonchalant et entra dans la salle où l'on jouait au black-jack. Il resta sur le seuil, observant ce qui se passait. Il y avait quatre tables. Ces tables de black-jack avaient une forme étrange, chacune incurvée comme un croissant de lune, les joueurs assis sur de hauts tabourets à l'extérieur de ce demi-cercle, les croupiers se tenant à l'intérieur.

Les jeux de cartes (au Lord's House, on utilise quatre paquets battus ensemble) étaient posés dans une boîte, ouverte d'un côté, qu'on appelle le sabot. Du bout des doigts, le croupier y prend les cartes une à une... Le dos de la carte, au bout du sabot, était toujours visible, mais pas les autres.

Le black-jack, comme on appelle ce jeu dans les casinos, a des règles très simples. Vous et moi le connaissons généralement sous le nom de vingt-et-un. Le joueur doit essayer, en tirant des cartes, de se rapprocher le plus possible du chiffre vingt et un, mais s'il dépasse ce chiffre, on dit qu'il a « crevé » et le croupier ramasse l'argent. Dans presque tous les cas, le joueur se trouve confronté au problème suivant : doit-il tirer une autre carte et risquer de crever, ou vaut-il mieux qu'il se contente des cartes qu'il a déjà en main ? Henry, lui, n'aurait pas ce genre de problème. En quatre secondes, il aurait « vu au travers » de la carte que le croupier lui proposait et il saurait s'il fallait l'accepter ou la refuser. Il pouvait transformer le black-jack en une farce.

Dans tous les casinos, on impose aux joueurs de

black-jack une règle assez gênante qui n'existe pas lorsqu'on joue à la maison. À la maison, on a le droit de regarder sa première carte avant de miser et si elle est bonne, on peut miser gros. Les casinos ne permettent pas de le faire. Ils insistent pour que chacun autour de la table mise *avant* que la première carte soit distribuée. De plus, on n'a pas le droit d'augmenter sa mise quand on demande une autre carte.

Mais rien de tout cela ne pouvait inquiéter Henry. Du moment qu'il était assis à la gauche du croupier, il aurait toujours la première carte du sabot à chaque donne. La carte serait ainsi clairement lisible pour lui, il la « verrait au travers » avant de miser.

Toujours sur le seuil de la porte, Henry attendit en silence qu'une place se libère à la gauche du croupier, à l'une des quatre tables. Son attente dura vingt minutes mais il finit par obtenir ce qu'il voulait.

Il se hissa sur le haut tabouret et tendit au croupier l'une des plaques de mille livres qu'il avait gagnées à la roulette.

– Tout en vingt-cinq, s'il vous plaît, dit-il.

Le croupier était un homme plutôt jeune avec des yeux noirs et un teint gris. Il ne souriait jamais et ne parlait que lorsque cela était nécessaire. Ses mains étaient exceptionnellement fines et ses doigts semblaient faits pour l'arithmétique. Il prit la plaque de Henry et la laissa tomber dans une fente, sur la table.

Des rangées de jetons circulaires de différentes couleurs étaient soigneusement alignées sur un plateau de bois posé devant lui. C'étaient des jetons de vingt-cinq livres, dix livres et cinq livres. Il y en avait une centaine de chaque. Entre le pouce et l'index, il saisit une série de jetons de vingt-cinq livres et les posa sur la table en une grande pile. Il n'eut pas besoin de les compter. Il savait qu'il y avait exactement vingt jetons dans la pile. Ses doigts agiles pouvaient prendre avec une précision absolue n'importe quel nombre de jetons entre un et vingt sans jamais se tromper. Le croupier prit une deuxième série de jetons, ce qui fit un total de quarante. Il glissa les deux piles sur la table en direction de Henry.

Celui-ci disposa les jetons devant lui. En même temps, il jeta un coup d'œil à la première carte du sabot. Il se concentra et quatre secondes plus tard, il avait vu qu'il s'agissait d'un dix. Il poussa vers le centre de la table huit jetons, deux cents livres en tout. C'était la mise maximum que le Lord's House autorisait au black-jack.

Il reçut le dix puis un neuf comme deuxième carte, dix-neuf en tout.

N'importe qui d'autre serait resté à dix-neuf, sans chercher à obtenir plus. Dans ce cas-là, on ne bouge pas en espérant que le croupier n'aura pas vingt ou vingt et un.

Aussi, lorsque le croupier se tourna à nouveau vers Henry, il annonça « Dix-neuf » et passa au joueur suivant.

– Attendez, dit Henry.

Le croupier s'interrompit et revint vers lui. Haussant les sourcils, il le regarda de ses yeux noirs et froids.

– Vous voulez tirer à dix-neuf? demanda-t-il d'un ton légèrement ironique.

Il parlait avec un accent italien et il y avait dans sa voix un mélange de mépris et de sarcasme. Seules deux cartes pouvaient donner un meilleur jeu sans crever le dix-neuf, un as (qui compte pour un) et un deux. Il fallait être idiot pour tirer à dix-neuf, surtout avec une mise de deux cents livres.

La carte suivante était bien visible à l'avant du sabot. Son dos en tout cas était visible. Le croupier n'y avait pas encore touché.

– Oui, dit Henry, je crois que je vais demander une autre carte.

Le croupier haussa les épaules et prit la carte dans le sabot en la retournant d'une chiquenaude. Le deux de trèfle atterrit juste devant Henry, à côté du dix et du neuf.

– Merci, dit Henry. Ça me convient très bien.

– Vingt et un, annonça le croupier.

Il leva à nouveau ses yeux noirs sur le visage de Henry et le fixa, silencieux, attentif, perplexe. Henry

117

l'avait déstabilisé. Jamais de sa vie il n'avait vu quelqu'un tirer à dix-neuf. Cet individu l'avait fait avec un calme et une assurance stupéfiants. Et il avait gagné.

Henry devina dans son regard les pensées du croupier et comprit aussitôt qu'il avait commis une erreur idiote. Il s'était montré trop habile et avait ainsi attiré l'attention sur lui. Il ne devait jamais recommencer cela. À l'avenir, il fallait montrer une plus grande prudence dans l'usage de ses pouvoirs. À l'occasion, il devait même veiller à perdre exprès et de temps à autre, faire quelque chose d'un peu stupide.

Le jeu se poursuivit. L'avantage dont disposait Henry était si considérable qu'il avait du mal à limiter ses gains dans des proportions raisonnables. Il lui arrivait de demander une troisième carte en sachant très bien qu'elle le ferait crever. Une fois, lorsqu'il vit que sa première carte serait un as, il misa sa plus faible somme, puis se donna en spectacle en se maudissant à haute voix de n'avoir pas joué plus.

En une heure, il avait gagné exactement trois mille livres et il s'arrêta là. Après avoir mis ses jetons dans sa poche, il retourna à la caisse pour les changer en argent véritable.

Il avait donc gagné trois mille livres au black-jack et trois mille six cents livres à la roulette, six mille six cents livres en tout. Il aurait pu tout aussi bien en empocher six cent soixante mille. Désormais, se dit-il, il avait la quasi-certitude de pouvoir gagner de l'argent plus vite que n'importe qui d'autre sur la terre entière.

Le caissier prit les jetons et les plaques de Henry sans le moindre tressaillement. Il portait des lunettes cerclées de fer et derrière ses verres, ses yeux pâles ne s'intéressaient pas à Henry. Ils ne regardaient que les jetons posés sur le comptoir. Cet homme-là avait lui aussi quelque chose d'arithmétique dans les doigts. Mais il avait bien plus encore. La trigonométrie, le calcul infinitésimal, l'algèbre et la géométrie euclidienne circulaient également dans chaque nerf de son corps. C'était une machine à calculer humaine avec des centaines de milliers de fils électriques dans le cerveau. Il lui fallut cinq secondes pour compter les cent vingt jetons de Henry.

– Souhaitez-vous un chèque, monsieur Sugar ? demanda-t-il.

Le caissier, comme l'homme de la réception, connaissait chaque membre du cercle par son nom.

– Non, merci, répondit Henry. Je préfère en espèces.

– Comme vous voudrez, dit la voix derrière les lunettes.

L'homme se tourna et se dirigea vers le coffre-fort qui devait contenir des millions de livres, au fond du bureau.

Selon les normes en vigueur au Lord's House, les gains de Henry n'étaient que de la petite monnaie. Les magnats arabes du pétrole étaient à Londres, à présent, et ils aimaient jouer. Tout comme les diplomates douteux d'Extrême-Orient, les hommes d'affaires japonais et les promoteurs immobiliers britanniques qui fraudaient le fisc. Chaque jour, des sommes vertigineuses étaient gagnées et perdues, surtout perdues, dans les cercles de jeu londoniens.

Le caissier revint avec l'argent de Henry et laissa tomber la liasse de billets sur le comptoir. Bien qu'il y eût là de quoi acheter une petite maison ou une grande voiture, le caissier du Lord's House n'était pas impressionné. Il ne prêta pas plus d'attention à cet argent que s'il avait donné à Henry un paquet de chewing-gum.

« Attends un peu, l'ami, songea Henry tandis qu'il glissait la liasse dans sa poche. Attends un peu. » Et il s'en alla.

– Votre voiture, monsieur ? demanda à la porte l'employé en uniforme vert.

– Pas encore, lui répondit Henry. Je crois que je vais d'abord respirer un peu d'air frais.

Il s'éloigna dans la rue d'un pas paisible. Minuit approchait. La soirée était fraîche, agréable. La grande ville était encore bien éveillée. Henry sentait la bosse que formait la grosse liasse de billets dans la poche intérieure de sa veste. Il caressa la bosse d'une main, la tapota doucement. C'était une grosse somme pour une heure de travail.

Que se passerait-il maintenant?

Qu'allait-il faire?

Il pouvait gagner plus, s'il le souhaitait.

Il pouvait gagner autant qu'il le voulait, sans aucune limite.

Parcourant les rues de Londres, dans la fraîcheur du soir, Henry songea à la prochaine étape.

Si cette histoire avait été inventée au lieu d'être vraie, il aurait fallu lui trouver une fin surprenante, palpitante. Cela n'aurait pas été difficile. Quelque chose de spectaculaire, d'inhabituel. Aussi, avant de vous raconter ce qui s'est véritablement passé dans la vie réelle de Henry, arrêtons-nous un instant pour voir ce qu'un bon auteur de fiction aurait fait pour finir cette histoire. Il aurait pris des notes dans ce genre :

1. Henry doit mourir. Tout comme Imhrat Khan avant lui, il a violé le code des yogi en utilisant ses pouvoirs pour un gain personnel.

2. Le mieux serait qu'il meure d'une manière originale, intéressante, qui prendrait le lecteur par surprise.

3. Par exemple, il pourrait rentrer dans son appartement, se mettre à compter son argent en ricanant d'un air réjoui. Pendant qu'il serait occupé à cela, il

commencerait soudain à se sentir mal. Il éprouverait une douleur dans la poitrine.

4. Il a brusquement peur. Il décide d'aller se coucher tout de suite et de se reposer. Il se déshabille. Nu, il se dirige vers le placard pour y prendre son pyjama. Il passe devant le miroir en pied posé contre le mur. Il s'arrête, regarde dans la glace son reflet nu. Alors, machinalement, par la force de l'habitude, il commence à se concentrer. Puis...

5. Tout à coup, il voit au travers de sa propre peau. Tout comme il voyait à travers les cartes à jouer. C'est comme une image aux rayons X, mais bien meilleure encore. Avec les rayons X, on ne voit que les os et les parties les plus denses du corps. Henry, lui, voit tout. Il voit ses artères et ses veines avec le sang qui afflue. Il voit son foie, ses reins, ses intestins, il voit son cœur battre.

6. Il regarde l'endroit de sa poitrine où se situe sa douleur... et il voit... ou il croit voir... une petite masse sombre à l'intérieur de la grosse veine qui remonte vers le cœur, du côté droit. Que fait donc cette petite masse sombre à l'intérieur de sa veine? C'est comme une sorte de bouchon. Ce doit être un caillot. Un caillot de sang!

7. Tout d'abord, le caillot semble immobile. Puis il se déplace. Le mouvement est très faible, sur un ou deux millimètres, pas plus. Le sang, à l'intérieur de la

veine, afflue derrière le caillot, passe par-dessus en le poussant et le caillot bouge encore. Il saute brusquement d'environ un centimètre. Cette fois, il remonte dans la veine, en direction du cœur. Henry regarde avec terreur. Il sait, comme tout le monde le sait, qu'un caillot qui s'est détaché et se déplace le long d'une veine finira par atteindre le cœur. Si le caillot est gros, il va être bloqué à l'intérieur et sans doute provoquer la mort...

Ce ne serait pas une si mauvaise fin pour une œuvre de fiction, mais ceci n'est pas une fiction. C'est une histoire vraie. Les seules choses qui ne soient pas vraies, c'est le nom de Henry et le nom du cercle de jeu. Henry ne s'appelait pas Henry Sugar. Son nom doit être tenu secret. Aujourd'hui encore, il faut maintenir ce secret. Et pour des raisons évidentes, on ne peut pas non plus nommer le cercle de jeu par son nom véritable. Tout le reste est authentique.

Et puisqu'il s'agit d'une histoire vraie, la fin aussi doit être vraie. Cette vraie fin n'est peut-être pas aussi spectaculaire ou étrange que le serait une fin inventée, mais elle est quand même intéressante. Voici ce qui s'est passé dans la réalité.

Après avoir marché dans les rues de Londres pendant environ une heure, Henry retourna au Lord's House et reprit sa voiture. Puis il rentra chez lui.

C'était un homme perplexe. Il n'arrivait pas à comprendre pourquoi il se sentait si peu enthousiasmé par son prodigieux succès. Si ce genre de chose lui était arrivé trois ans plus tôt, avant qu'il ne commence cette histoire de yoga, il serait devenu fou d'excitation. Il aurait dansé dans les rues et se serait précipité dans le night-club le plus proche pour fêter cela au champagne.

Le plus étrange, c'était qu'il n'éprouvait pas le moindre sentiment de plaisir. Il se sentait mélancolique. D'une certaine manière, tout avait été trop facile. Chaque fois qu'il avait misé, il avait eu la certitude de gagner. Il n'y avait pas eu de frisson, pas de suspense, pas de danger de perdre. Bien sûr, il savait que, désormais, il pourrait parcourir le monde en gagnant des millions. Mais y trouverait-il un quelconque amusement ?

Henry commençait lentement à comprendre que rien n'est amusant quand on peut en avoir autant qu'on veut. Surtout l'argent.

Il y avait autre chose. Ne se pouvait-il pas que le processus qu'il avait dû suivre pour acquérir ses pouvoirs de yogi ait complètement transformé sa façon de voir la vie ?

C'était certainement possible.

Henry rentra chez lui et alla aussitôt se coucher.

Le lendemain matin, il se réveilla tard. Mais il ne se

sentait pas plus joyeux que la veille. Lorsqu'il se leva et vit l'énorme liasse de billets toujours posée sur la table de toilette, il ressentit une soudaine et très vive répulsion. Il ne voulait pas de cet argent. Même si sa vie en avait dépendu, il aurait été incapable d'expliquer pourquoi il en était ainsi, mais le fait était là, il n'en voulait pas.

Il ramassa la liasse. Elle ne comportait que des billets de vingt livres, trois cent trente exactement. Il sortit sur le balcon de son appartement et resta là, vêtu de son pyjama de soie rouge foncé, à regarder la rue au-dessous.

L'appartement de Henry était situé dans Curzon Street, en plein milieu du quartier le plus chic et le plus cher de Londres, qu'on désigne sous le nom de Mayfair. D'un côté, Curzon Street donne dans Berkeley Square, de l'autre dans Park Lane. Henry habitait au troisième étage et dans sa chambre à coucher, un petit balcon, avec une balustrade en fer forgé, donnait sur la rue.

C'était le mois de juin, la matinée était bien ensoleillée, et il était onze heures. Bien que ce fût dimanche, il n'y avait pas beaucoup de promeneurs sur les trottoirs.

Henry prit un billet de vingt livres sur sa liasse et le laissa tomber du balcon. Un petit vent l'emporta en direction de Park Lane. Henry le suivit des yeux. Il vola, tournoya dans les airs, puis se posa enfin de l'autre côté de la rue, juste devant un vieil homme qui passait par là. L'homme portait un long pardessus miteux d'une couleur marron et un chapeau au bord tombant. Il marchait lentement, seul. Il aperçut le billet lorsqu'il voltigea devant son nez et s'arrêta pour le ramasser. Il le contempla en le tenant des deux mains, le retourna, l'examina de plus près. Enfin, il leva la tête et regarda en l'air.

– Hé, vous! cria Henry, la main autour de sa bouche en guise de porte-voix. C'est pour vous! C'est un cadeau!

Le vieil homme resta immobile, tenant toujours le billet devant lui, regardant la silhouette sur le balcon, au-dessus de sa tête.

– Mettez-le dans votre poche! lança Henry. Emportez-le chez vous!

Sa voix résonnait dans la rue et des passants s'arrêtèrent en levant les yeux.

Henry prit un autre billet et le jeta dehors. Au-dessous, les passants ne bougèrent pas. Ils se contentèrent de regarder. Ils n'avaient aucune idée de ce qui pouvait bien se passer. Il y avait là-haut, sur un balcon, un homme qui avait crié quelque chose et venait de jeter ce qui ressemblait à un morceau de papier. Chacun suivit des yeux le papier qui tomba en voletant et se posa par terre à proximité d'un jeune couple marchant bras dessus, bras dessous, de l'autre côté de la rue. L'homme avait lâché le bras de la femme et essayé d'attraper le papier au moment où il passait devant lui, mais il l'avait raté et le ramassa sur le trottoir. Il l'examina attentivement. Des deux côtés de la rue, les passants avaient les yeux fixés sur lui. Pour nombre d'entre eux, ce papier ressemblait beaucoup à un billet de banque et ils attendaient d'en savoir plus.

– C'est un billet de vingt livres! s'exclama le jeune homme en sautant sur place. Un billet de vingt livres!

– Gardez-le, lui cria Henry. Il est à vous!

– Ce n'est pas une blague? lança le jeune homme en tenant le billet à bout de bras. Je peux vraiment le garder?

Soudain, une vague d'agitation se répandit des deux côtés de la rue et tout le monde réagit en même temps. Les passants se précipitèrent au milieu de la chaussée et s'agglutinèrent sous le balcon. Ils levèrent les bras au-dessus de leur tête en criant :

– Et moi? Il y en a un pour moi? Jetez-en un autre, m'sieur! Jetez-en encore!

Henry prit cinq ou six billets et les lança dehors.

Des cris, des hurlements s'élevèrent, tandis que les morceaux de papier portés par le vent tombaient en flottant dans les airs. Lorsqu'ils arrivèrent à la hauteur des mains tendues, ce fut une bonne vieille mêlée à l'ancienne, mais l'atmosphère était à la bonne humeur. Les gens riaient. Ils trouvaient que c'était une fabuleuse plaisanterie. Il y avait, à un balcon du troisième étage, un homme en pyjama qui jetait en l'air ces billets de banque d'une valeur considérable. Beaucoup de ceux qui se trouvaient là n'avaient encore jamais vu dans leur vie un billet de vingt livres.

Mais il se passait autre chose, maintenant.

Dans les rues d'une grande ville, les nouvelles se propagent à une vitesse phénoménale. La nouvelle de ce que Henry était en train de faire se répandit comme une traînée de poudre tout au long de Curzon Street, jusque dans les autres rues, grandes ou petites, du voisinage. De tous côtés, des gens accouraient. En quelques minutes, il y eut environ un millier d'hommes, de femmes, d'enfants, qui bloquaient la voie sous le balcon de Henry. Les automobilistes qui ne pouvaient passer sortaient de leurs voitures et se joignaient à la foule. Soudain, Curzon Street fut plongée dans le chaos.

À ce moment, Henry leva simplement le bras et lança en l'air toute la liasse de billets. Plus de six mille livres voltigèrent vers la foule qui hurlait au-dessous.

Le désordre qui s'ensuivit valait la peine d'être vu. Les gens sautaient en l'air pour attraper les billets avant qu'ils ne touchent le sol, tout le monde se poussait, se bousculait, hurlait, on tombait les uns sur les autres et bientôt, il n'y eut plus qu'une masse d'êtres humains enchevêtrés qui criaient et se battaient.

Derrière lui, dans son propre appartement, Henry entendit résonner longuement, bruyamment, la sonnette de l'entrée dont le son dominait le tumulte. Il quitta le balcon et alla ouvrir la porte. Un policier à la large carrure, avec une moustache noire, se tenait sur le seuil, les mains sur les hanches.

– Vous ! lança-t-il avec colère. C'est vous ! Qu'est-ce que vous fabriquez ?

– Bonjour, monsieur l'agent, dit Henry. Désolé pour la foule. Je ne pensais pas que les choses tourneraient comme ça. Je distribuais simplement un peu d'argent.

– Vous avez troublé l'ordre public ! vociféra le policier. Vous avez provoqué une entrave à la circulation ! Vous incitez à l'émeute et à cause de vous, *toute* la rue est bloquée !

– J'ai dit que j'étais désolé, répliqua Henry. Je ne recommencerai pas, je le promets. Ils s'en iront bientôt.

Le policier ôta une main de ses hanches et montra au creux de sa paume un billet de vingt livres.

– Ha, ha ! s'écria Henry. Vous en avez pris un aussi ! J'en suis ravi ! Je suis très content pour vous !

– Arrêtez de faire le mariole ! dit le policier. J'ai

quelques questions très sérieuses à vous poser au sujet de ces billets de vingt livres.

Il prit un carnet dans sa poche poitrine.

– Tout d'abord, poursuivit-il, où les avez-vous eus, exactement?

– Je les ai gagnés, répondit Henry. J'ai eu beaucoup de chance hier soir.

Il donna le nom du cercle où il avait gagné l'argent et le policier l'écrivit dans son carnet.

– Vous pouvez vérifier, ajouta Henry. Ils vous confirmeront que c'est vrai.

Le policier baissa son carnet et regarda Henry dans les yeux.

– En fait, déclara-t-il, je crois à votre histoire. Je pense que vous dites la vérité. Mais cela n'excuse en aucune manière votre conduite.

– Je n'ai rien fait de mal, répliqua Henry.

– Vous êtes un jeune sot et vous dites des bêtises! cria le policier, qui recommençait à s'énerver. Vous êtes un âne, un imbécile! Quand on a la chance de gagner une énorme somme d'argent et qu'on veut en faire cadeau, on ne la jette pas par les fenêtres!

– Et pourquoi pas? demanda Henry avec un large sourire. C'est un moyen comme un autre de s'en débarrasser.

– C'est un moyen complètement stupide! s'exclama le policier. Pourquoi n'avez-vous pas donné cet argent là où il aurait pu être utile? À un hôpital, par exemple? Ou à un orphelinat? Dans tout le pays, il y a des orphelinats qui n'ont même pas les moyens d'offrir aux enfants un cadeau de Noël! Et voilà qu'un petit crétin dans votre genre qui n'a jamais su ce que c'était que d'être sans le sou vient jeter ses billets dans la rue! Ça me met en fureur, vraiment en fureur!

– Un orphelinat? dit Henry.

– Oui, un *orphelinat*! beugla le policier. J'ai été élevé dans l'un d'eux, je sais de quoi je parle!

Le policier tourna alors les talons et descendit précipitamment l'escalier pour regagner la rue.

Henry ne bougea pas. Les paroles du policier, et surtout la colère authentique avec laquelle il les avait prononcées, avaient frappé notre héros en pleine face.

– Un orphelinat? dit-il à haute voix. Ce n'est pas bête du tout. Mais pourquoi un seul orphelinat? Pourquoi pas plein d'orphelinats?

Alors, commença très vite à naître en lui la grande et merveilleuse idée qui allait tout changer.

Henry referma la porte d'entrée et retourna dans son appartement. Soudain, il fut saisi d'un irrépressible sentiment d'excitation qui lui remua les entrailles. Il se mit à faire les cent pas, passant en revue tous les éléments qui lui permettraient de réaliser cette idée magnifique.

– Un, dit-il, chaque jour de ma vie, je peux mettre la main sur une grosse somme d'argent.

« Deux, je ne dois jamais aller dans le même casino plus d'une fois par an.

« Trois, quel que soit le casino, je ne dois pas gagner trop pour ne pas éveiller les soupçons. Je suggère de me limiter à vingt mille livres par soirée.

« Quatre, à combien se montent vingt mille livres chaque soir, trois cent soixante-cinq jours par an ?

Henry prit un papier et un crayon et fit le calcul.

– On arrive à un total de sept millions trois cent mille livres, dit-il à haute voix.

« Très bien. Point numéro cinq, il faudra que je change sans cesse d'endroit. Pas plus de deux ou trois soirs de suite dans une même ville, sinon, la nouvelle se répandra très vite. J'irai de Londres à Monte-Carlo. Puis à Cannes. À Biarritz. À Deauville. À Las Vegas. À Mexico. À Buenos Aires. À Nassau. Et ainsi de suite.

« Six, avec l'argent que je vais gagner, je financerai dans chaque pays où je me rendrai un orphelinat modèle. Je deviendrai un nouveau Robin des Bois. Je prendrai l'argent aux directeurs et propriétaires de casino pour le donner aux enfants. Ça semble mièvre, sentimental ? Comme rêve, oui. Mais comme réalité, si j'y arrive vraiment, ce ne sera ni mièvre, ni sentimental. Ce sera fabuleux.

« Sept, j'aurai besoin de quelqu'un pour m'aider,

132

quelqu'un qui restera sur place pour gérer les finances, acheter les maisons et tout organiser. Un homme d'argent. Quelqu'un en qui je puisse avoir confiance. John Winston, par exemple?

John Winston était le comptable de Henry. Il s'occupait de ses impôts sur le revenu, de ses investissements et de tous les autres problèmes concernant l'argent. Henry le connaissait depuis dix-huit ans et des relations d'amitié s'étaient développées entre les deux hommes. Rappelons-nous cependant que, jusqu'à présent, John Winston n'avait connu Henry que comme un play-boy riche et oisif qui n'avait jamais travaillé un seul jour de sa vie.

– Tu dois être fou, dit John Winston lorsque Henry lui parla de son projet. Personne n'a jamais trouvé de système qui permette de gagner au casino.

Henry sortit alors de sa poche un jeu de cartes tout neuf qui n'avait pas encore été ouvert.

– Viens, répondit-il, nous allons faire une petite partie de black-jack. C'est toi qui distribues. Et ne viens pas me dire que ces cartes sont marquées. C'est un paquet neuf.

Assis dans le bureau de Winston dont les fenêtres donnaient sur Berkeley Square, les deux hommes jouèrent au black-jack avec le plus grand sérieux pendant près d'une heure. Ils se servaient d'allumettes en guise de jetons, chaque allumette valant vingt-cinq livres. Au bout de cinquante minutes, Henry avait gagné pas moins de trente-quatre mille livres !

John Winston avait du mal à y croire.

– Comment fais-tu ? demanda-t-il.

– Pose le jeu sur la table, répondit Henry. Figures cachées.

Winston s'exécuta.

Henry se concentra pendant quatre secondes sur la carte du dessus.

– C'est un valet de cœur, dit-il.

Il avait raison.

– La prochaine est... un trois de cœur.

C'était vrai. Il continua ainsi jusqu'à la fin du jeu, indiquant la valeur de chaque carte.

– Vas-y, dit John Winston. Raconte-moi comment tu t'y prends.

Cet homme habituellement calme, à l'esprit mathématique, était penché sur son bureau et regardait Henry avec de grands yeux brillants comme des étoiles.

– Est-ce que tu te rends compte que tu arrives à faire une chose complètement impossible ? poursuivit-il.

– Ce n'est pas impossible. C'est simplement très difficile. Et je suis le seul homme au monde qui y parvienne.

Le téléphone sonna sur le bureau de John Winston. Il décrocha le combiné et dit à sa secrétaire :

– Plus d'appels jusqu'à nouvel ordre, s'il vous plaît, Susan. Pas même ma femme.

Il releva la tête, attendant que Henry continue son récit.

Henry expliqua alors en détail à John Winston comment il avait acquis ce pouvoir. Il lui raconta la découverte du cahier, lui parla d'Imhrat Khan puis décrivit la façon dont il avait travaillé sans relâche au cours des trois dernières années pour entraîner son esprit à se concentrer.

Lorsqu'il eut terminé, John Winston dit :

– As-tu essayé de marcher sur le feu ?

– Non, répondit Henry. Et je n'en ai pas l'intention.

– Qu'est-ce qui te permet de penser que tu pourras faire la même chose avec des cartes dans un casino ?

Henry lui raconta sa visite de la veille au Lord's House.

– Six mille six cents livres ! s'écria John Winston. As-tu franchement gagné une telle somme en vrais billets ?

– Écoute, reprit Henry, je viens de te gagner trente-quatre mille livres en moins d'une heure.

– Donc, c'est vrai.

– Six mille était le minimum que je puisse empocher, dit Henry. J'ai dû faire un effort terrible pour ne pas ramasser davantage.

– Tu vas devenir l'homme le plus riche du monde.

– Je ne veux pas devenir le plus riche, répliqua Henry. Plus maintenant.

Il lui exposa alors son plan pour financer des orphelinats.

Lorsqu'il eut terminé, il demanda :

– Veux-tu t'associer avec moi, John ? Veux-tu être mon gestionnaire, mon banquier, mon administrateur et tout le reste ? L'argent arrivera par millions chaque année.

John Winston, en comptable prudent, circonspect, n'aurait jamais donné son accord sous l'impulsion du moment.

– Je veux d'abord te voir en action, dit-il.

Ce soir-là, ils allèrent donc ensemble au Ritz Club, dans Curzon Street.

– Je ne peux pas retourner au Lord's House pendant un certain temps, expliqua Henry.

Au premier coup de roulette, il misa cent livres sur le chiffre vingt-sept. Il sortit. La deuxième fois, il misa sur le quatre qui sortit également. Il avait gagné un total de sept mille cinq cents livres.

Un Arabe qui se tenait à côté de lui dit :

– Je viens de perdre cinquante-cinq mille livres. Comment faites-vous ?

– La chance, répondit Henry. La simple chance.

Ils se rendirent dans la salle de black-jack et là, en une demi-heure, Henry gagna encore dix mille livres. Puis il arrêta de jouer.

Dehors, dans la rue, John Winston lui dit :

– Je te crois, maintenant. Je marche avec toi.

– On commence demain, répondit Henry.

– Tu as vraiment l'intention de faire ça tous les soirs?

– Oui, assura Henry. J'irai très vite de ville en ville, de pays en pays. Et chaque jour, je t'enverrai mes gains par l'intermédiaire des banques.

– Tu te rends compte de la somme que cela représentera en un an?

– Des millions, dit Henry d'un ton joyeux. Environ sept millions par an.

– Dans ce cas, je ne pourrai pas opérer ici, fit remarquer John Winston. Le percepteur prendrait tout.

– Va où tu voudras, répondit Henry. Ça m'est égal. Je te fais entièrement confiance.

– J'irai en Suisse, proposa John Winston. Mais pas demain. Je ne peux pas tout abandonner et partir. Je ne suis pas comme toi un célibataire sans attaches ni responsabilités. Je dois en parler à ma femme et à mes enfants. Je dois prévenir les associés de mon cabinet. Je dois vendre ma maison. Je dois en trouver une autre en Suisse. Je dois enlever mes enfants de l'école. Mon cher ami, ces choses-là prennent du temps!

Henry sortit de sa poche les dix-sept mille cinq cents livres qu'il venait de gagner et les lui donna.

– Voici un peu de monnaie pour te permettre de tenir en attendant que tu t'installes, dit-il. Mais dépêche-toi. J'ai hâte de m'y mettre.

Une semaine plus tard, John Winston était à Lausanne, dans un bureau situé en haut des magnifiques collines qui dominent le lac de Genève. Sa famille le rejoindrait dès que possible.

Et Henry se mit au travail dans les casinos.

Un an plus tard, il avait envoyé à John Winston, dans son bureau de Lausanne, plus de huit millions de livres. L'argent était versé cinq jours par semaine à une société suisse qui s'appelait ORPHELINATS S.A. Personne, en dehors de John Winston et de Henry, ne savait d'où venait cet argent ni ce qu'il allait devenir. Quant aux autorités suisses, elles ne veulent jamais connaître l'origine de l'argent. Henry l'expédiait par l'intermédiaire des banques. Le versement du lundi était toujours le plus important parce qu'il représentait les gains cumulés du vendredi, du samedi et du dimanche, lorsque les banques étaient fermées. Henry voyageait à une vitesse étonnante et souvent, le seul indice que possédait John Winston sur l'endroit où il se trouvait était l'adresse de la banque qui avait envoyé l'argent tel ou tel jour. Parfois, il pouvait venir d'une banque de Manille. Le lendemain de Bangkok. Il arrivait aussi de Las Vegas, de Curaçao, de Freeport, de Grand Cayman, de San Juan, de Nassau, de Londres, de Biarritz. Il provenait de partout et de n'importe où, du moment qu'il y avait dans la ville un grand casino.

Pendant sept ans, tout se passa bien. Près de cinquante millions de livres étaient arrivés à Lausanne et avaient été mis en sûreté à la banque. Déjà, John Winston avait fondé trois orphelinats, un en France, un en Angleterre et un aux États-Unis. Cinq autres étaient en projet.

Ce fut alors que les ennuis arrivèrent. Il existe un réseau de bouche à oreille parmi les propriétaires de casino et bien que Henry eût toujours été particulièrement attentif à ne pas prendre trop d'argent en une seule soirée dans aucun des établissements où il jouait, la nouvelle avait fini par se répandre.

Ils découvrirent son manège un soir à Las Vegas, où Henry avait commis l'imprudence de gagner cent mille dollars dans trois casinos différents, mais qui appartenaient en fait au même gang.

Voici ce qui se passa. Le lendemain matin, alors que Henry bouclait ses bagages dans sa chambre d'hôtel avant de se rendre à l'aéroport, on frappa à la porte. Un chasseur vint lui murmurer que deux hommes l'attendaient dans le hall. Il y en avait d'autres qui gardaient la porte de derrière, ajouta-t-il. Le chasseur précisa que ces hommes étaient de vrais durs et qu'il ne donnerait pas cher de la vie de Henry s'il descendait à cet instant.

– Pourquoi êtes-vous venu m'avertir ? demanda Henry. Pourquoi vous mettre de mon côté ?

– Je ne suis du côté de personne, répondit le chasseur. Mais nous savons tous que vous avez gagné beaucoup d'argent, hier soir, et j'ai pensé que vous me donneriez un bon pourboire si je vous prévenais.

– Merci, dit Henry. Mais comment puis-je quitter l'hôtel ? Je vous offre mille dollars si vous arrivez à me faire sortir d'ici.

– C'est facile, assura le chasseur. Déshabillez-vous et enfilez mon uniforme. Sortez ensuite par le hall avec votre valise. Mais ligotez-moi avant de partir. Il faut qu'on me trouve allongé par terre, pieds et poings liés, pour que je ne sois pas soupçonné de vous avoir aidé. Je dirai que vous aviez une arme et que je n'ai pas pu me défendre.

– Où vais-je trouver de la corde pour vous ligoter ? demanda Henry.

– Dans ma poche, répondit le chasseur avec un grand sourire.

Henry enfila l'uniforme vert et or qui était à peu près à sa taille. Puis il ligota soigneusement le chasseur avec la ficelle et lui enfonça un mouchoir dans la bouche. Enfin, il glissa dix billets de cent dollars sous le tapis où le chasseur pourrait les prendre par la suite.

En bas, dans le hall, deux petits gangsters trapus aux cheveux noirs observaient les gens qui sortaient des ascenseurs. Mais ils jetèrent à peine un coup d'œil à l'homme en uniforme vert et or de chasseur, qui arriva une valise à la main, traversa le hall d'un bon pas et poussa les portes battantes donnant sur la rue.

À l'aéroport, Henry changea de vol et prit le prochain avion pour Los Angeles. Les choses ne seraient plus aussi faciles, désormais, songea-t-il. Mais ce chasseur d'hôtel lui avait donné une idée.

À Los Angeles, et dans les quartiers proches de Hollywood et Beverly Hills où habitent les gens de cinéma, Henry chercha le meilleur maquilleur de sa profession. Il s'agissait de Max Engelman. Henry le fit venir et le trouva tout de suite sympathique.

– Combien gagnez-vous ? lui demanda-t-il.

– Oh, dans les quarante mille dollars par an, répondit Max.

– Je vous en offre cent mille, dit Henry, si vous acceptez de m'accompagner et de devenir mon artiste maquilleur personnel.

– C'est quoi, l'idée ? interrogea Max.

– Je vais vous l'exposer.

Ce qu'il fit.

Max était la deuxième personne seulement à qui Henry avait raconté son histoire, John Winston étant la première. Et lorsque Henry lui montra comment il arrivait à lire les cartes, Max en fut abasourdi.

– Grand Dieu ! s'exclama-t-il. Vous pourriez ramasser une fortune !

– C'est déjà fait, répondit Henry. J'ai ramassé dix fortunes. Mais j'en veux dix de plus.

Il lui parla alors des orphelinats. Avec l'aide de John Winston, il en avait déjà fondé trois et d'autres étaient en cours.

Max était un petit homme au teint sombre qui avait fui Vienne lorsque les nazis y étaient entrés. Il ne s'était jamais marié, n'avait aucune attache, et il montra un enthousiasme frénétique.

– C'est fou ! s'écria-t-il. C'est la chose la plus démente que j'aie jamais entendue de ma vie ! Je marche avec vous, mon vieux ! Allons-y !

À partir de ce moment, Max Engelman accompagna Henry partout où il allait. Il emportait avec lui une malle remplie d'un assortiment de perruques, de fausses barbes, de faux favoris, de moustaches et d'accessoires de maquillage comme on n'en avait jamais vu. Il pouvait transformer son maître en trente ou quarante personnages impossibles à identifier et les patrons de casino qui, à présent, cherchaient tous à le repérer ne le revirent plus jamais sous les traits de Henry Sugar. Ainsi, un an après l'épisode de Las Vegas, Henry retourna avec Max dans cette ville devenue dangereuse et, par une chaude soirée étoilée, il gagna quatre-vingt mille dollars net dans le premier des grands casinos qu'il avait visités la fois précédente. Henry y était entré sous les traits d'un vieux diplomate brésilien et personne ne s'était aperçu de rien.

Maintenant qu'il n'allait plus dans les casinos sous sa véritable apparence, il fallait s'occuper de beaucoup d'autres détails, tels les faux passeports et cartes d'identité. À Monte-Carlo, par exemple, on doit toujours montrer son passeport pour être autorisé à pénétrer dans un casino. Grâce à Max, Henry y retourna à onze reprises, chaque fois avec un passeport et un déguisement différents.

Max était enchanté de ce travail. Il aimait beaucoup créer de nouveaux personnages pour Henry.

– Aujourd'hui, j'en ai un tout neuf! annonçait-il. Attends de voir ça! Tu seras un scheik arabe du Koweït!

– On a un passeport arabe? demandait Henry. Et les papiers correspondants?

– On a tout, répondait Max. John Winston m'a

envoyé un magnifique passeport au nom de Son Altesse Royale le scheik Abu Bin Bey!

Et ils continuèrent ainsi. Au cours des années, Max et Henry devinrent comme des frères. Des frères partis en croisade, qui filaient dans le ciel d'un endroit à un autre, soutiraient l'argent des casinos et l'envoyaient directement à John Winston en Suisse où la société connue sous le nom de ORPHELINATS S.A. devenait de plus en plus riche.

Henry est mort l'année dernière, à l'âge de soixante-trois ans. Sa tâche était accomplie. Il l'avait menée à bien pendant une vingtaine d'années.

Son carnet d'adresses personnel comptait trois cent soixante et onze grands casinos, dans vingt et un pays ou îles différents. Il les avait tous visités à de nombreuses reprises et n'avait jamais perdu au jeu.

Selon les comptes de John Winston, il avait gagné en tout cent quarante-quatre millions de livres.

Il a laissé derrière lui vingt et un orphelinats, solidement établis et bien gérés, répartis un peu partout dans le monde, un dans chaque pays où il était allé. Tous étaient financés et administrés depuis Lausanne par John et son équipe.

Mais comment se fait-il que moi, qui ne suis ni Max Engelman, ni John Winston, j'aie pu savoir tout cela ? Et d'abord, qu'est-ce qui m'a amené à écrire cette histoire ?

Je vais vous le dire.

Peu après la mort de Henry, John Winston me téléphona de Suisse. Il se présenta simplement comme le directeur de la société ORPHELINATS S.A. et me demanda si je voulais venir le voir à Lausanne en vue d'écrire une brève histoire de son organisation. J'ignore comment il avait choisi mon nom. Il disposait sans doute d'une liste d'écrivains et en avait pointé un au hasard. Il me paierait bien, me dit-il. Et il ajouta :

– Un homme remarquable vient de mourir. Son nom était Henry Sugar. Je crois qu'il serait temps que le public apprenne un peu ce qu'il a fait.

Dans mon ignorance, je lui demandai si l'histoire était suffisamment intéressante pour être couchée sur le papier.

– Très bien, répondit l'homme qui contrôlait à présent cent quarante-quatre millions de livres. Laissez tomber. Je m'adresserai à quelqu'un d'autre. Ce ne sont pas les écrivains qui manquent.

Je fus piqué au vif.

– Non, attendez, lançai-je. Pourriez-vous au moins me dire qui était ce Henry Sugar et ce qu'il a fait ? Je n'ai même jamais entendu parler de lui.

En cinq minutes au téléphone, John Winston évoqua la carrière secrète de Henry Sugar. Ce n'était plus

un secret. Henry était mort et ne jouerait plus. J'écou-
tai, passionné.

– J'arrive par le prochain avion, dis-je.

– Merci, répondit John Winston. J'en serai
enchanté.

À Lausanne, je rencontrai John Winston, qui avait
à présent soixante-dix ans, et aussi Max Engelman, qui
était à peu près du même âge. Tous deux étaient
encore bouleversés par la mort de Henry, Max encore
plus que John Winston, car il avait été constamment à
ses côtés pendant plus de treize ans.

– Je l'aimais beaucoup, dit Max, une ombre passant
sur son visage. C'était un grand homme. Il ne pensait
jamais à lui. Il ne gardait jamais un sou de l'argent
qu'il gagnait, sauf ce dont il avait besoin pour voyager
et se nourrir. Un jour, nous étions à Biarritz, il venait
de passer à la banque pour envoyer un demi-million
de francs à John. C'était l'heure du déjeuner. Nous
sommes allés dans un petit restaurant où nous avons
simplement pris une omelette et une bouteille de vin
et quand l'addition est arrivée, Henry n'avait plus rien
pour la payer. Moi non plus, d'ailleurs. C'était un
homme extraordinaire.

John Winston me raconta tout ce qu'il savait. Il me
montra le cahier bleu original, celui que le docteur
John Cartwright avait écrit à Bombay en 1934 et je le
recopiai mot à mot.

– Henry l'avait toujours sur lui, me dit John Winston. À la fin, il le connaissait par cœur.

Il me montra les livres de comptes de la société ORPHELINATS S.A. avec les gains de Henry consignés chaque jour pendant plus de vingt ans, et c'était une vision véritablement impressionnante.

– Il y a une grande lacune dans cette histoire, monsieur Winston, lui fis-je remarquer lorsqu'il eut terminé. Vous ne m'avez presque rien dit sur les voyages de Henry et sur ses aventures dans les différents casinos du monde.

– Ça, c'est l'histoire de Max, répondit-il. Max sait tout à ce sujet car il était avec lui. Mais il dit qu'il veut essayer de l'écrire lui-même. Il a déjà commencé.

– Dans ce cas, pourquoi Max n'écrirait-il pas tout ? demandai-je.

– Il ne le souhaite pas, m'assura John Winston. Il veut simplement écrire sur Henry et Max. Ce devrait être une histoire fabuleuse si jamais il arrive au bout. Mais il est vieux, maintenant, comme moi, et je doute qu'il puisse y parvenir.

– Une dernière question, repris-je. Vous continuez de l'appeler Henry Sugar. Et pourtant, vous m'avez déclaré que ce n'était pas son vrai nom. Vous ne voulez pas que je dise qui il était en réalité quand j'écrirai son histoire ?

– Non, répliqua John Winston. Max et moi avons promis de ne jamais le révéler. Oh, il y aura probablement une fuite un jour ou l'autre. Après tout, il était issu d'une famille anglaise assez bien connue. Mais je vous serais reconnaissant de ne pas essayer d'en savoir davantage. Appelez-le tout simplement Mr Henry Sugar.

Et c'est ce que j'ai fait.

COUP DE CHANCE

COMMENT JE SUIS DEVENU ÉCRIVAIN

Un auteur de fiction est quelqu'un qui invente des histoires.

Mais comment débute-t-on dans un travail comme celui-là? Comment devient-on écrivain professionnel à plein temps?

Pour Charles Dickens, ce fut facile. À l'âge de vingt-quatre ans, il se contenta de s'asseoir et d'écrire *Les Aventures de Mr Pickwick* qui devinrent un best-seller immédiat. Mais Dickens était un génie et les génies sont différents de nous.

En ce siècle (il n'en était pas toujours ainsi au siècle dernier), à peu près tous les écrivains qui ont fini par avoir du succès dans le monde de la fiction ont commencé par exercer un autre métier – professeur, médecin, journaliste, avocat. (*Alice au pays des merveilles* a été écrit par un mathématicien et *Le Vent dans les saules* par un fonctionnaire.) Ils devaient donc faire leurs premiers essais d'écriture pendant les moments libres, généralement la nuit.

Les raisons en sont évidentes. Lorsqu'on est adulte, il est nécessaire de gagner sa vie. Pour gagner sa vie, il faut un travail. Et si possible, un travail qui vous garantit tant d'argent par semaine. Mais si désireux que vous soyez d'entreprendre une carrière d'auteur de fiction, il serait inutile d'aller chez un éditeur et de lui annoncer : « Je cherche un travail d'auteur de fiction. » Si vous faisiez cela, il vous dirait de ficher le camp et de commencer par écrire un livre. Et même si vous lui apportiez un livre qu'il aime suffisamment pour le publier, il ne vous confierait pas pour autant un travail fixe. Il vous donnerait simplement une avance de peut-être cinq cents livres sterling qu'il récupérerait par la suite en la déduisant de vos droits d'auteur. (Les droits d'auteur, soit dit en passant, sont l'argent qu'un écrivain reçoit de l'éditeur pour chaque exemplaire de son livre vendu. En moyenne, un écrivain obtient dix pour cent du prix auquel le livre est proposé dans les librairies. Ainsi, un livre qui vaut quatre livres sterling rapportera à son auteur quarante pence. Pour une édition de poche à cinquante pence, il touchera cinq pence.)

Un auteur qui espère réussir consacre bien souvent deux ans de ses moments de liberté à l'écriture d'un livre qu'aucun éditeur n'acceptera de publier. Et son travail ne lui rapportera rien d'autre qu'un sentiment de frustration.

S'il a la chance de voir son livre accepté par une maison d'édition, il y a tout à parier qu'il se vendra, comme la plupart des premiers romans, à trois mille exemplaires environ. Ce qui lui rapportera peut-être mille livres sterling. Pour écrire un roman, il faut généralement un minimum d'un an et, de nos jours, mille livres sterling par an ne suffisent pas pour vivre. On voit donc bien pourquoi un écrivain en herbe doit invariablement commencer par exercer un autre métier. S'il ne le fait pas, il peut être assuré de mourir de faim.

Voici quelques-unes des qualités qu'il faut posséder ou tenter d'acquérir si l'on veut devenir un auteur de fiction :

1. Avoir une imagination débordante.

2. Savoir bien écrire. J'entends par là être capable de faire vivre une scène dans l'esprit du lecteur. Tout le monde n'a pas cette faculté. C'est un don, on l'a ou on ne l'a pas.

3. Avoir de l'endurance. Autrement dit, il faut pouvoir s'attacher à ce que l'on fait, sans jamais abandonner, pendant des heures et des heures, des jours et des jours, des semaines et des semaines, des mois et des mois.

4. Être perfectionniste. Cela signifie qu'on ne doit jamais se satisfaire de ce qu'on a écrit tant qu'on ne l'a pas récrit inlassablement, jusqu'à obtenir le meilleur résultat possible.

5. Avoir une grande discipline personnelle. On travaille seul. On n'est au service de personne. Personne autour de vous ne va vous renvoyer si vous ne vous mettez pas au travail ou vous donner un avertissement si vous négligez votre tâche.

6. Avoir un grand sens de l'humour qui vous sera très utile. Ce n'est pas essentiel lorsqu'on écrit pour les adultes, mais quand on s'adresse aux enfants, c'est vital.

7. Faire preuve d'une certaine humilité. L'auteur qui pense que tout ce qu'il écrit est merveilleux court au-devant de graves ennuis.

À présent, je vais vous raconter comment, en me glissant par la porte de derrière, je me suis retrouvé dans le monde de la fiction.

En 1924, à l'âge de huit ans, je fus envoyé en pension dans une ville qui s'appelle Weston-Super-Mare, sur la côte sud-ouest de l'Angleterre. J'y ai vécu des jours d'horreur, soumis à une discipline féroce, pas le droit de parler dans les dortoirs, de courir dans les couloirs, aucune négligence tolérée, interdiction de faire ceci, cela, ou autre chose, il n'y avait que des règlements, des règlements, et encore des règlements auxquels il fallait obéir. Et la peur des redoutables coups de canne pesait sur nous sans relâche, telle la crainte de la mort.

« Le directeur veut vous voir dans son bureau. » Des mots fatals, qui vous glaçaient la peau du ventre. Mais il fallait y aller, âgé de neuf ans peut-être, suivre les longs couloirs sinistres, et passer sous l'arcade qui vous amenait dans le domaine privé du directeur, où il ne pouvait se passer que des choses horribles, où la fumée du tabac de pipe flottait dans l'air comme une odeur d'encens. On restait devant l'abominable porte noire, sans oser frapper. On respirait profondément. Si seulement on avait eu sa mère auprès de soi, se disait-on, elle n'aurait pas permis cela. Mais elle n'était pas là. On était seul. Alors, on levait une main et on frappait doucement, une seule fois.

– Entrez! Ah, oui, c'est vous, Dahl. Eh bien, Dahl, j'ai été informé que vous avez bavardé pendant l'étude, hier soir.

– S'il vous plaît, monsieur, j'avais cassé ma plume et j'ai simplement demandé à Jenkins s'il pouvait m'en prêter une autre.

– Je ne tolérerai aucun bavardage pendant l'étude. Vous le savez pertinemment.

Déjà, cet homme gigantesque se dirigeait vers la

haute armoire, dans un coin de son bureau, et tendait le bras pour y prendre la canne posée dessus.

– Les élèves qui enfreignent le règlement doivent être sanctionnés.

– Monsieur... ma... ma plume était cassée... je...

– Ce n'est pas une excuse. Je vais vous apprendre qu'on n'a rien à gagner à parler pendant l'étude.

Il saisissait la canne qui faisait environ un mètre de long, avec une petite poignée incurvée à un bout. Elle était fine, blanche et très flexible.

– Penchez-vous en avant, touchez le bout de vos chaussures avec les doigts. Là-bas, près de la fenêtre.

– Mais, monsieur...

– Ne discutez pas, mon garçon. Faites ce qu'on vous dit.

Je me penchais en avant. Puis j'attendais. Il nous faisait toujours attendre environ dix secondes et c'était à ce moment-là qu'on avait les genoux qui commençaient à trembler.

– Penchez-vous, mon garçon! Touchez le bout de vos chaussures!

J'avais les yeux fixés sur l'extrémité de mes chaussures noires en me disant qu'à tout moment, cet homme allait me donner un coup de canne si violent que mon derrière changerait de couleur. Les marques étaient toujours très longues, s'étendant en travers des fesses, d'une couleur bleu-noir avec des bords écarlates et lorsque, par la suite, on passait les doigts dessus le plus doucement possible, on sentait les zébrures.

Swish!... Clac!

La douleur arrivait alors. Une douleur incroyable, insupportable, atroce. C'était comme si quelqu'un vous avait appliqué sur le postérieur un tisonnier chauffé à blanc en appuyant très fort.

Le deuxième coup viendrait bientôt et il ne fallait surtout pas mettre les mains derrière le dos pour essayer de l'éviter. C'était une réaction instinctive, mais si on faisait cela, la canne vous brisait les doigts.

Swish!... Clac!

Le second coup atterrissait à côté du premier et le tisonnier chauffé à blanc pénétrait de plus en plus profondément dans la peau.

Swish!... Clac!

C'était toujours au troisième coup que la douleur atteignait son point culminant. Elle ne pouvait aller plus loin. Ce ne pouvait être pire. Après cela, les autres coups *prolongeaient* simplement la souffrance. On essayait de ne pas crier. Parfois, on n'arrivait pas à s'en empêcher. Mais qu'on soit capable ou non de rester silencieux, il était impossible d'arrêter les larmes. Elles ruisselaient sur vos joues et tombaient goutte à goutte sur le tapis.

Le plus important, c'était de ne pas sursauter ou se

redresser au moment du choc. Si on faisait cela, on avait droit à un coup supplémentaire.

Lentement, délibérément, prenant tout son temps, le directeur administrait encore trois coups, six au total.

– Vous pouvez partir.

Sa voix semblait provenir d'une caverne située à des kilomètres de là et on se relevait lentement, douloureusement, on crispait les deux mains sur ses fesses brûlantes, en les tenant bien serrées, puis on sortait de la pièce en sautillant sur l'extrême pointe de ses orteils.

Cette canne cruelle régentait notre vie. On la recevait pour avoir parlé au dortoir après l'extinction des lumières, avoir bavardé en classe, avoir mal travaillé, avoir gravé ses initiales sur son pupitre, avoir grimpé par-dessus un mur, avoir eu une tenue négligée, avoir lancé des trombones, avoir oublié de mettre ses pantoufles le soir, n'avoir pas suspendu ses vêtements de sport et surtout, pour s'être rendu coupable de la moindre petite offense à l'égard d'un maître. (On ne les appelait pas encore des professeurs, à l'époque.) Autrement dit, nous recevions des coups de canne pour avoir fait tout ce que les jeunes garçons trouvent naturel de faire.

Il fallait donc surveiller ce que nous disions. Et nous étions prudents. Dieu sait que nous étions prudents.

Nous devenions incroyablement vigilants. Où que nous allions, nous marchions avec précaution, l'oreille tendue, guettant les dangers, comme des animaux sauvages avançant dans les bois à pas feutrés.

En dehors des maîtres, il y avait à l'école un autre homme qui nous inspirait une peur considérable. C'était Mr Pople. Mr Pople était un personnage ventru, au visage cramoisi, qui jouait le rôle de concierge de l'établissement, de responsable de la chaudière et d'homme à tout faire. Son pouvoir venait du fait qu'il était habilité à nous signaler au directeur sous le plus infime prétexte (ce dont il ne se privait pas). Le moment de gloire de Mr Pople se produisait chaque matin à sept heures et demie précises, lorsqu'il se postait à l'extrémité du grand couloir et « sonnait la cloche ». C'était une énorme cloche de cuivre, à l'épaisse poignée de bois, que Mr Pople agitait à bout de bras, d'avant en arrière, d'une manière qui n'appartenait qu'à lui, en faisant : *clingueding-clang-clang, clingueding-clang-clang, clingueding-clang-clang.* Au son de la cloche, tous les élèves de l'école – nous étions cent quatre-vingts – se dépêchaient d'aller prendre leur place dans le couloir. Nous nous tenions alignés des deux côtés, contre les murs, et nous nous figions au garde-à-vous, attendant l'inspection du directeur.

Mais il se passait au moins dix minutes avant qu'il n'arrive sur place et pendant ce temps, Mr Pople se

livrait à une cérémonie si extraordinaire que, aujour-
d'hui encore, j'ai du mal à croire qu'elle ait vraiment
existé. Il y avait six W.-C. dans l'école, numérotés, sur
leurs portes, de un à six. Mr Pople, debout à l'extrémité
du long couloir, tenait dans sa main six petits disques
de cuivre, chacun portant un numéro de un à six. Il y
avait un silence total pendant qu'il laissait son regard
errer sur les deux rangées d'élèves qui se tenaient avec
raideur le long des murs. Enfin, il aboyait un nom :

– Arkle !

Arkle sortait du rang et se dirigeait précipitamment vers Mr Pople. Celui-ci lui donnait un disque
de cuivre. Arkle s'éloignait alors à grands pas vers les
W.-C. Pour s'y rendre, il lui fallait parcourir toute la
longueur du couloir, devant les autres élèves immobiles, puis tourner à gauche. Dès qu'il était hors de
vue, il avait le droit de regarder son disque et de voir
quel était le W.-C. qui lui avait été attribué.

– Highton ! aboyait Mr Pople.

C'était au tour de Highton de sortir du rang, d'aller chercher son disque et de se rendre aux W.-C.

– Angel !...

– Williamson !...

– Gaunt !...

– Price !...

De cette manière, six élèves choisis selon le
caprice de Mr Pople étaient envoyés aux W.-C. pour

faire leur devoir. Personne ne leur demandait s'ils étaient prêts ou non à solliciter leur intestin à sept heures et demie du matin, avant d'avoir pris leur petit déjeuner. On leur en donnait simplement l'ordre. Mais nous considérions le fait d'être choisi comme un grand privilège, car cela signifiait que, pendant l'inspection du directeur, nous serions hors d'atteinte, tranquillement assis dans cette bienheureuse intimité.

Au moment prévu, le directeur émergeait de ses appartements et prenait le relais de Mr Pople. Il avançait lentement d'un côté du couloir, examinant chaque élève avec la plus grande attention, attachant en même temps sa montre autour de son poignet. L'inspection du matin constituait une expérience éprouvante. Chacun de nous était terrifié lorsque les deux yeux marron au regard perçant, surmontés d'épais sourcils, se promenaient lentement de haut en bas, de la tête aux pieds.

– Allez donc brosser vos cheveux convenablement. Et que cela ne se reproduise plus ou vous le regretterez. – Faites-moi voir vos mains. Elles ont des taches d'encre. Pourquoi ne les avez-vous pas lavées hier soir? – Votre cravate est de travers, mon garçon. Sortez du rang et allez refaire le nœud, comme il faut cette fois. – Je vois de la boue sur cette chaussure. Il me semble vous avoir déjà fait une réflexion à ce sujet la semaine dernière. Vous viendrez me voir dans mon bureau après le petit déjeuner.

Ainsi se poursuivait l'effroyable inspection du petit matin. À la fin, lorsque le directeur était reparti et que Mr Pople nous conduisait en rangs au réfectoire, regroupés par classes, nous étions nombreux à avoir perdu tout appétit pour le porridge grumeleux qu'on allait nous servir.

J'ai encore tous mes bulletins scolaires de cette époque, plus de cinquante ans après, et je les ai relus un par un, essayant d'y découvrir un indice prometteur pour un futur écrivain de fiction. La première matière à regarder était évidemment la composition anglaise. Mais, dans cet exercice, je n'avais suscité à l'école primaire que des commentaires plats et neutres, à part un seul qui attira mon attention. Il était daté du premier trimestre 1928. J'avais douze ans à l'époque et mon professeur d'anglais était Mr Victor Corrado. J'ai de lui un souvenir très vivant, c'était un athlète grand et beau, avec des cheveux bruns ondulés et un nez romain (plus tard, il s'enfuit en pleine nuit avec l'infirmière, Miss Davis, et nous ne les revîmes plus jamais). Quoi qu'il en soit, il se trouve que Mr Corrado nous enseignait la boxe en même temps que la composition anglaise et, dans ce bulletin, il était écrit pour l'anglais : « Voir le commentaire de la rubrique boxe. On peut appliquer ici exactement la même remarque. » Si on se reporte à la page Boxe, voici ce qu'on peut y lire : « Trop lent et trop lourd. Ses coups sont mal calculés et on les voit venir facilement. »

Mais dans cette école, une fois par semaine, chaque samedi matin, chaque merveilleux, bienheureux samedi matin, toutes ces horreurs à glacer le sang disparaissaient et, pendant deux heures magnifiques, je vivais des moments qui frisaient l'extase.

Malheureusement, il fallait attendre l'âge de dix ans pour y avoir droit. Mais peu importe. Je vais essayer de vous raconter cela.

Le samedi matin à dix heures et demie précises, la cloche infernale de Mr Pople lançait son *clingueding-clang-clang.* C'était le signal qu'il allait se passer ceci :

D'abord, tous les garçons de neuf ans et au-dessous (environ soixante-dix en tout) sortaient aussitôt dans la grande cour de récréation au sol goudronné, derrière le bâtiment principal. Debout dans la cour, les jambes écartées, les bras croisés sur sa gigantesque poitrine, Miss Davis, l'infirmière, les attendait. S'il pleuvait, les élèves étaient censés arriver avec leurs imperméables. S'il neigeait, s'il y avait du blizzard, il fallait revêtir manteaux et écharpes. Et on devait toujours avoir sur la tête la casquette de l'école – grise avec un insigne rouge au-dessus de la visière. Aucun acte divin, ni tornade, ni ouragan, ni éruption volcanique n'auraient pu dispenser les petits garçons de sept, huit et neuf ans de faire le samedi matin leurs deux heures abominables de promenade le long des bords de mer, balayés par les vents, de Weston-Super-Mare. Il marchaient en rangs par deux, Miss Davis avançant à côté d'eux à grandes enjambées, vêtue d'une jupe de tweed et de bas de laine, coiffée d'un chapeau en feutre qui avait dû être grignoté par les rats.

Mais le samedi matin, lorsque retentissait la cloche de Mr Pople, il se passait également autre chose. Le reste des élèves, tous ceux qui avaient dix ans et plus (une centaine en tout), allaient immédiatement s'asseoir dans la grande salle de réunion. Un jeune maître qui s'appelait S. K. Jopp montrait alors sa tête derrière la porte et se mettait à crier avec une telle férocité que des postillons jaillissaient de sa bouche comme des balles de pistolet et s'écrasaient contre les vitres des fenêtres, de l'autre côté de la salle.

– Bon, alors ! hurlait-il. Taisez-vous ! Tenez-vous tranquilles ! Regardez devant vous, les mains sur la table !

Puis il ressortait avec la même brusquerie.

Nous restions assis bien sagement et nous attendions. Nous attendions le moment délicieux qui allait bientôt venir, nous le savions. Dehors, dans l'allée, nous entendions les moteurs des voitures qui démarraient. Elles étaient toutes anciennes, il fallait les mettre en route à coups de manivelle. (N'oubliez pas que cela se passait autour des années 1927/1928.) C'était un rituel du samedi matin. Il y avait cinq voitures et tout le personnel de l'école s'y entassait, les quatorze maîtres mais aussi le directeur et même Mr Pople et son visage violacé. Dans un vrombissement de moteurs et un nuage de fumée bleue, ils se rendaient alors dans un pub qui s'appelait, si je me souviens bien, *Le Comte moustachu*. Ils resteraient là jusqu'à l'heure du déjeuner, à vider des pintes de forte bière brune. Et deux heures et demie plus tard, à une heure, nous les verrions revenir. Ils s'avanceraient à pas prudents dans le réfectoire pour aller déjeuner, attentifs à conserver leur équilibre en se tenant ici ou là.

Voilà pour les maîtres. Mais qu'advenait-il de nous, la grande masse des dix, onze et douze ans, assis dans la salle de réunion, au cœur d'une école où il n'y avait soudain plus du tout d'adultes ? Nous savions, bien sûr, ce qui allait se passer. Dans la minute qui suivait le départ des maîtres, nous entendions la porte d'entrée s'ouvrir et des bruits de pas résonner dans le couloir, puis, dans un tourbillon d'étoffes flottantes, de bracelets tintinnabulants, de cheveux au vent, une femme faisait irruption dans la salle en criant :

– Bonjour, tout le monde! Allons, un peu de gaieté! Nous ne sommes pas à un enterrement!

Ou d'autres paroles semblables. Cette femme était Mrs O'Connor.

La belle et bienheureuse Mrs O'Connor, avec ses vêtements excentriques et ses cheveux gris qui volaient en tous sens. Elle avait une cinquantaine d'années, un visage chevalin avec de longues dents jaunes, mais à nos yeux, elle était magnifique. Elle ne faisait pas partie du personnel de l'école. Elle avait été engagée, quelque part en ville, pour venir le samedi matin jouer le rôle d'une sorte de baby-sitter qui devait nous faire tenir tranquilles deux heures et demie durant, tandis que les maîtres allaient s'enivrer au pub.

Mais Mrs O'Connor n'était pas une baby-sitter. Elle n'était rien de moins qu'un professeur de grand talent, une érudite et une amoureuse de la littérature anglaise. Chacun de nous suivit ses cours tous les samedis matin, trois années de suite (de l'âge de dix ans jusqu'à notre sortie de l'école), et pendant cette période, nous passâmes en revue toute l'histoire de la littérature anglaise, depuis l'année 597 jusqu'au début du XIXᵉ siècle.

Les nouveaux venus recevaient un petit livre bleu qu'ils devaient garder et qui avait simplement pour titre *La Table chronologique*. Le livre ne comportait que six pages. Ces six pages étaient remplies d'une très longue liste, par ordre chronologique, de tous les grands, et moins grands, événements de la littérature anglaise, avec la date de chacun. Mrs O'Connor en avait sélectionné cent exactement, nous les avions cochés dans nos livres et appris par cœur. En voici quelques-uns dont je me souviens encore :

597 Saint Augustin débarque à Thanet et introduit le christianisme en Angleterre.

731 *Histoire ecclésiastique* de Bède.

1215 Signature de la Magna Carta, la Grande Charte.

1399 *La Vision de Pierre le Laboureur* de William Langland.

1476 William Caxton installe sa première presse à imprimer à Westminster.

1478 *Les Contes de Canterbury* de Chaucer.

1485 *La Mort d'Arthur* de Thomas Malory.

1590 *La Reine des fées* d'Edmund Spenser.

1623 Premier in-folio de Shakespeare.

1667 *Paradis perdu* de John Milton.

1668 Les *Essais* de John Dryden.

1678 *Voyage du pèlerin* de John Bunyan.

1711 Fondation du *Spectator* par Joseph Addison.

1719 *Robinson Crusoé* de Daniel Defoe.

1726 *Les Voyages de Gulliver* de Jonathan Swift.

1733 *Essai sur l'homme* d'Alexander Pope.

1755 *Dictionnaire* de Samuel Johnson.

1791 *La Vie de Samuel Johnson* par James Boswell.

1833 *Sartor Resartus* de Thomas Carlyle.

1859 *L'Origine des espèces* de Charles Darwin.

Mrs O'Connor prenait chaque sujet tour à tour et passait les deux heures et demie du samedi matin à nous en parler. Ainsi, au bout de trois ans, en comptant approximativement trente-six samedis par année scolaire, elle aurait couvert les cent sujets.

C'était si merveilleux, si passionnant, si amusant! Elle avait ce don des grands professeurs de faire vivre devant nous tout ce dont elle nous entretenait. En deux heures et demie, nous apprenions à aimer Langland et son laboureur. Le samedi suivant, c'était Chaucer et lui aussi, nous l'aimions. Même des bons-hommes plutôt rébarbatifs, comme Milton, Dryden ou Pope, devenaient palpitants lorsque Mrs O'Connor évoquait leur vie et nous lisait à haute voix des extraits de leurs œuvres. Le résultat de tout cela, pour moi en tout cas, fut qu'à l'âge de treize ans, j'avais une conscience aiguë du vaste héritage littéraire qui s'était constitué en Angleterre au cours des siècles. Je devins également un lecteur avide et insatiable de bons livres.

Chère, adorable Mrs O'Connor! Peut-être cela valait-il la peine d'aller dans cette horrible école simplement pour connaître la joie de l'entendre le samedi matin.

À l'âge de treize ans, je quittai l'enseignement primaire et fus envoyé, toujours comme pensionnaire, dans l'une des plus célèbres *public schools* d'Angleterre. En fait, ces écoles n'ont rien de « publiques ». Elles sont très privées et très chères. La mienne s'appelait Repton, dans le Derbyshire, et notre directeur à l'époque était le révérend Geoffrey Fisher qui devint plus tard évêque de Chester, puis évêque de Londres, et enfin archevêque de Canterbury. Dans son dernier emploi, il couronna la reine Élisabeth II à l'abbaye de Westminster.

L'uniforme que nous devions porter dans cette école nous donnait des allures d'employés des pompes funèbres. La veste était noire, échancrée pardevant, avec une longue queue-de-pie qui descendait jusqu'à l'arrière des genoux. Le pantalon était noir également avec de fines rayures grises. Noires aussi, les chaussures. Nous avions en plus un gilet, toujours noir, à onze boutons qu'il fallait attacher chaque matin. La cravate était tout aussi noire. Enfin, il y avait un col cassé blanc amidonné et une chemise blanche.

Pour couronner le tout, la dernière touche ridicule était un chapeau de paille qu'on devait porter en permanence dès qu'on était dehors, sauf pendant les heures de sport. Et comme les chapeaux se détrempaient sous la pluie, nous avions des parapluies en cas de mauvais temps.

Vous imaginez ce que je pouvais ressentir dans cet accoutrement saugrenu lorsque, à l'âge de treize ans, ma mère m'emmena prendre le train à Londres, au début du premier trimestre. Elle m'embrassa, me dit au revoir et je partis.

J'espérais, naturellement, que mon postérieur, qui avait tant souffert, serait épargné, maintenant que j'allais dans une nouvelle école pour les grands, mais ce ne serait pas le cas. Les coups de canne à Repton étaient plus féroces et plus fréquents que tout ce que j'avais connu jusqu'alors. Et ne croyez pas une seconde que le futur archevêque de Canterbury ait trouvé à redire à ces pratiques ignobles. Il remontait ses manches et y participait avec enthousiasme. Les séances avec lui étaient les pires, nous en éprouvions une véritable terreur. Certaines corrections administrées par cet homme de Dieu, ce futur chef de l'Église d'Angleterre, étaient très brutales. Je sais de source sûre qu'il a dû un jour fournir une bassine d'eau, une éponge et une serviette pour permettre à la victime de laver le sang après avoir reçu les coups.

Ça, ce n'était pas une plaisanterie.

Il y avait là comme un écho de l'Inquisition espagnole.

Mais le plus horrible de tout, à mes yeux, c'était que les préfets avaient le droit de battre leurs condisciples. On voyait cela tous les jours. Les grands (âgés de dix-sept ou dix-huit ans) fouettaient les plus petits (de treize, quatorze, ou quinze ans) dans un cérémonial sadique qui avait lieu le soir après qu'on fut monté dans le dortoir et qu'on eut mis son pyjama.

– On te demande au vestiaire.

Avec des gestes pesants, on enfilait alors sa robe de chambre et ses pantoufles. Puis on descendait l'escalier d'un pas trébuchant et on entrait dans la grande salle au sol de bois où les vêtements de sport étaient accrochés le long des murs. Une unique ampoule nue pendait du plafond. Un préfet, l'air pompeux mais redoutable, vous attendait au centre de la pièce. Dans sa main, il tenait une longue canne qu'il se mettait généralement à plier d'avant en arrière à votre entrée.

– Je suppose que tu sais pourquoi tu es ici, disait-il.

– Ben, je...

– Pour la deuxième fois de suite, tu as fait brûler mon toast, aujourd'hui.

Je dois d'abord vous expliquer le sens de cette phrase ridicule. Lorsqu'on était le factotum d'un préfet, c'est-à-dire son serviteur, l'une des nombreuses tâches que l'on devait accomplir était de faire griller ses toasts, tous les jours à l'heure du thé. Pour cela, on se servait d'une longue fourchette à trois pointes sur laquelle on plantait la tranche de pain que l'on faisait chauffer devant le feu, d'abord d'un côté, ensuite de l'autre. Mais le seul feu qu'on avait le droit d'utiliser pour cela se trouvait dans la bibliothèque et, à l'approche de l'heure du thé, il n'y avait jamais moins d'une douzaine de malheureux factotums qui se bousculaient pour essayer de trouver une place devant la minuscule cheminée. Je n'étais pas très doué pour cet exercice. Généralement, je tenais le pain trop près des flammes et le toast brûlait. Mais comme nous n'avions jamais le droit de demander une deuxième tranche pour recommencer, il ne restait plus qu'à gratter la partie brûlée du toast avec un couteau. Il était rare, cependant, qu'on s'en sorte aussi facilement. Les préfets étaient habiles à détecter un toast qui avait été gratté. On voyait son bourreau personnel, assis un peu plus loin à la table principale, prendre son toast, le retourner et l'examiner comme s'il s'était agi d'un petit tableau très précieux. Il fronçait alors les sourcils et vous saviez ce qui allait se passer.

Le soir, donc, vous vous retrouviez en bas, au vestiaire, vêtu d'un pyjama et d'une robe de chambre, et celui dont vous aviez brûlé le toast vous informait de votre crime.

– Je n'aime pas les toasts brûlés.

– Je l'ai tenu trop près du feu. Je suis désolé.

– Qu'est-ce que tu préfères? Quatre avec la robe de chambre ou trois en l'enlevant?

– Quatre avec, répondais-je.

Il était traditionnel de poser cette question. On donnait toujours le choix à la victime. Or, ma robe de chambre marron était en poil de chameau épais et, dans mon esprit, il ne faisait aucun doute que le meilleur choix était celui-là. Être battu en n'ayant qu'un pyjama sur le dos était une expérience très douloureuse, la peau était presque toujours déchirée. Ma robe de chambre me protégeait contre ce risque. Le préfet, bien sûr, savait tout cela et donc, quand on choisissait de recevoir un coup de plus en gardant sa robe de chambre, il tapait de toutes ses forces. Parfois, il reculait de trois ou quatre pas et se mettait à courir pour prendre de l'élan avant de frapper. Dans l'un et l'autre cas, c'était une grande sauvagerie.

Dans les temps anciens, lorsqu'on s'apprêtait à pendre un homme, un grand silence tombait sur toute la prison et les autres détenus restaient assis dans leurs cellules, sans faire le moindre bruit, jusqu'à ce que l'acte ait été accompli. Les choses se passaient d'une manière très semblable à l'école quand un élève était battu. En haut, dans le dortoir, les autres s'asseyaient sur leurs lits sans dire un mot, par sympathie pour la victime, et dans le silence, s'élevait du vestiaire le *crac* de chaque coup infligé.

Mes bulletins trimestriels de cette école présentent un certain intérêt. En voici quatre extraits, recopiés mot pour mot du document original :

Troisième trimestre, 1930 (à l'âge de quatorze ans). Composition anglaise. « Je n'ai jamais rencontré un élève qui écrive avec une telle persistance l'exact opposé de ce qu'il veut dire. Il semble incapable de mettre ses pensées en ordre sur le papier. »

Deuxième trimestre, 1931 (à l'âge de quinze ans). Composition anglaise. « Esprit constamment brouillon. Vocabulaire négligeable, phrases mal construites. Il me fait penser à un chameau. »

Troisième trimestre, 1932 (à l'âge de seize ans). Composition anglaise. « Ce garçon est un élève indolent et illettré. »

Premier trimestre, 1932 (à l'âge de dix-sept ans). Composition anglaise. « D'une paresse constante. Idées limitées. » (Sous ce commentaire, le futur archevêque de Canterbury avait écrit à l'encre rouge : « Il doit corriger les défauts indiqués sur cette page. »)

Pas étonnant qu'il ne me soit pas venu à l'idée de

devenir écrivain, à cette époque.

Lorsque je quittai l'école en 1934, à l'âge de dix-huit ans, je déclinai la proposition de ma mère (mon père était mort quand j'avais trois ans) d'aller à l'université. À moins de vouloir être médecin, avocat, chercheur, ingénieur ou autre professionnel spécialisé, je ne voyais pas l'intérêt d'aller perdre trois ou quatre ans à Oxford ou à Cambridge et j'ai toujours le même point de vue aujourd'hui. En revanche, je désirais passionnément aller à l'étranger, voyager, voir des contrées lointaines. En ce temps-là, il n'y avait presque pas d'aviation commerciale et un voyage en Afrique ou en Extrême-Orient durait plusieurs semaines.

Je pris donc un emploi dans ce qu'on appelait le personnel d'Orient de la compagnie pétrolière Shell, où on me promit qu'après avoir passé deux ou trois ans de formation en Angleterre, je serais envoyé dans un pays étranger.

– Lequel ? demandai-je.

– Qui sait ? répondit mon interlocuteur. Tout dépendra de l'endroit où il y aura un poste libre lorsque vous aurez atteint le haut de la liste. Ce sera peut-être l'Égypte, la Chine, l'Inde ou à peu près n'importe où dans le monde.

Voilà qui me paraissait amusant. Et en effet, ce fut amusant. Lorsque mon tour vint d'être nommé à l'étranger, on m'annonça que ce serait l'Afrique orientale. On commanda des vêtements tropicaux et ma mère m'aida à préparer ma malle. Je devais occuper pendant trois ans un poste en Afrique, ensuite, j'aurais le droit de rentrer à la maison pour un congé de six mois. J'avais à présent vingt et un ans et je me préparais à partir pour des pays lointains. J'étais ravi. J'embarquai dans les docks de Londres et le navire largua les amarres.

Le voyage dura deux semaines et demie. Nous traversâmes le golfe de Gascogne et fîmes escale à Gibraltar. Nous continuâmes vers le sud de la Méditerranée en passant par Malte, Naples et Port-Saïd. Nous franchîmes le canal de Suez et poursuivîmes notre route sur la mer Rouge, nous arrêtant à Port-Soudan puis à Aden. C'était absolument passionnant. Pour la première fois de ma vie, je voyais de grands déserts de sable, des soldats arabes montés sur des dromadaires, des palmiers sur lesquels poussaient des dattes, des poissons volants, et des milliers d'autres choses magnifiques. Enfin, nous atteignîmes Mombassa au Kenya.

À Mombassa, un homme de la compagnie Shell monta à bord et m'annonça que je devais à présent prendre un petit bateau côtier qui m'emmènerait à Dar-es-Salaam, la capitale du Tanganyika (aujourd'hui la Tanzanie). J'allai donc à Dar es-Salaam, m'arrêtant en route à Zanzibar.

Pendant les deux années suivantes, je travaillai pour Shell en Tanzanie, le siège étant à Dar es-Salaam. C'était une vie merveilleuse. La chaleur était intense, mais qui s'en souciait? Nous étions vêtus de shorts kaki, d'une chemise ouverte, et portions sur la tête un casque colonial. J'appris à parler le swahili. Je me déplaçai en voiture dans tout le pays pour aller voir des mines de diamant, des plantations de sisal, des mines d'or et tout le reste.

Il y avait partout des girafes, des éléphants, des zèbres, des lions et des antilopes, des serpents également, notamment le mamba noir, le seul serpent au monde qui vous poursuivra s'il vous voit. Et s'il vous rattrape et vous mord, vous pouvez commencer à dire vos prières. J'appris à retourner et à secouer mes bottes antimoustiques avant de les mettre au cas où un scorpion se serait glissé à l'intérieur, et comme tout le monde, j'attrapai la malaria, restant couché trois jours avec une température de quarante et un degrés.

En septembre 1939, il devint évident qu'une guerre allait éclater avec l'Allemagne de Hitler. Le Tanganyika, que seulement vingt ans plus tôt on appelait l'Afrique-Orientale allemande, était toujours plein d'Allemands. Ils étaient partout. Ils possédaient des magasins, des mines, des plantations dans l'ensemble du pays. Au moment où la guerre éclaterait, il faudrait les rassembler. Mais nous n'avions pratiquement pas d'armée au Tanganyika, simplement quelques soldats indigènes, qu'on appelait les *askaris*, et une poignée d'officiers. C'est ainsi qu'on nous nomma tous, nous, les civils hommes, réservistes spéciaux. On me donna un brassard et je me retrouvai à la tête d'une vingtaine d'*askaris*. Ma petite troupe et moi reçûmes l'ordre de bloquer la route du sud, par laquelle on sortait du Tanganyika pour aller en Afrique-Orientale portugaise qui était neutre. La mission était importante car c'était par cette route que la plupart des Allemands essaieraient de s'échapper quand la guerre serait déclarée.

J'emmenai ma joyeuse bande, avec leurs fusils et une mitrailleuse, et j'établis un barrage à l'endroit où la route traversait une jungle épaisse, à une quinzaine de kilomètres de la ville. Nous avions un téléphone de campagne relié au quartier général qui nous préviendrait tout de suite lorsque la guerre serait déclarée. Nous nous installâmes et nous attendîmes. Nous attendîmes pendant trois jours. La nuit, de partout dans la jungle, nous parvenait le son au rythme étrange, hypnotique, des tam-tams indigènes. Une fois, je m'aventurai à l'intérieur de la jungle, dans l'obscurité, et tombai sur une cinquantaine d'Africains accroupis en cercle autour d'un feu.

Un seul battait son tam-tam. Certains dansaient autour du feu. Les autres buvaient quelque chose dans des coquilles de noix de coco. Ils m'accueillirent dans leur cercle. C'étaient des gens merveilleux. Je pouvais leur parler dans leur langue. Ils me donnèrent une coquille remplie d'un liquide gris, épais et enivrant, constitué de maïs fermenté. Si je me souviens bien, cela s'appelait du *pomba*. Je le bus. C'était horrible.

Le lendemain, dans l'après-midi, le téléphone de campagne sonna et une voix dit : « Nous sommes en guerre avec l'Allemagne. » Quelques minutes plus tard, je vis au loin une file de voitures qui avançait vers nous dans un nuage de poussière, s'enfuyant aussi vite que possible vers le territoire neutre de l'Afrique-Orientale portugaise.

« Oh, oh, me dis-je, nous allons avoir une petite bataille à livrer » et je rassemblai mes vingt *askaris* pour qu'ils s'y préparent. Mais il n'y eut pas de bataille. Les Allemands, qui, après tout, n'étaient que des civils, se rendirent très vite en voyant notre mitrailleuse et nos fusils. En une heure, nous en eûmes environ deux cents sur les bras. J'étais plutôt triste pour eux. J'en connaissais beaucoup personnellement, comme Willy Hink, l'horloger, et Herman Schneider qui possédait l'usine d'eau de Seltz. Leur seul crime était d'être allemands. Mais c'était la guerre et, dans la fraîcheur du soir, nous les ramenâmes tous à pied à Dar es-Salaam où ils furent placés dans un vaste camp entouré de barbelés.

Le lendemain, je pris ma vieille voiture et roulai vers le nord, en direction de Nairobi, au Kenya, pour rejoindre la R.A.F. Ce fut un rude voyage qui me prit quatre jours. Des routes cahoteuses à travers la jungle, de larges rivières où il fallait mettre la voiture sur un radeau qu'un passeur amenait de l'autre côté à l'aide d'une corde, de longs serpents verts qui rampaient en travers du chemin. (N.B. N'essayez jamais d'écraser un serpent car il pourrait être projeté en l'air et atterrir à l'intérieur de votre voiture découverte. C'est arrivé souvent.) La nuit, je dormais dans la voiture. Je passai au pied du magnifique Kilimandjaro, qui avait un chapeau de neige sur la tête. Je traversai le pays masaï où les hommes buvaient du sang de vache et semblaient mesurer chacun deux mètres dix. Je faillis entrer en collision avec une girafe dans la plaine du Serengeti. Mais je finis par arriver sain et sauf à Nairobi et me présentai au quartier général de la R.A.F., à l'aéroport.

Pendant six mois, on nous mit à l'entraînement sur de petits avions qu'on appelait les Tiger Moth et là encore, ce fut une époque extraordinaire. Aux commandes de nos Tiger Moth, nous survolions tout le Kenya à basse altitude. On voyait de grands troupeaux d'éléphants. On voyait des flamants roses sur le lac Nakuru. On voyait tout ce qu'il y avait à voir dans ce pays splendide. Souvent, avant de pouvoir décoller, nous devions chasser les zèbres hors du terrain. À Nairobi, nous étions vingt à suivre une formation de pilote. Sur les vingt, dix-sept furent tués pendant la guerre.

De Nairobi, ils nous envoyèrent en Iraq, dans une base aérienne désolée, près de Bagdad, pour achever notre formation. L'endroit s'appelait Habbaniya et l'après-midi, la chaleur était telle (cinquante-quatre degrés et demi à l'ombre) que nous n'avions pas le droit de sortir de nos baraquements. Nous restions allongés sur nos couchettes à transpirer. Les plus malchanceux avaient des coups de chaleur, il fallait les emmener à l'hôpital et les mettre dans la glace pendant plusieurs jours. Ce traitement les tuait ou les sauvait. C'était du cinquante-cinquante.

À Habbaniya, on nous apprit à piloter des avions plus puissants, armés de mitrailleuses, et nous nous entraînâmes à tirer sur des cibles remorquées (c'est-à-dire accrochées derrière d'autres avions en vol) et sur des objets au sol.

Enfin, notre entraînement prit fin et on nous envoya en Égypte pour combattre les Italiens dans le désert de Libye. Je fus affecté à l'escadrille 80, composée de chasseurs, et au début, nous n'avions que de vieux biplans monoplaces, appelés Gloster Gladiator. Les deux mitrailleuses du Gladiator étaient montées de chaque côté du moteur et tiraient leurs balles – vous me croirez si vous voulez – *à travers* l'hélice. Les mitrailleuses étaient d'une certaine manière synchronisées avec l'arbre d'hélice si bien qu'en théorie, les balles ne devaient pas toucher les pales. Mais comme vous pouvez vous en douter, ce mécanisme compliqué se détraquait souvent et le malheureux pilote qui essayait d'abattre l'ennemi tirait en fait sur sa propre hélice.

Je fus moi-même descendu aux commandes d'un Gladiator, en plein désert de Libye, entre les lignes ennemies. L'avion prit feu mais je parvins à m'en extraire et je fus secouru puis ramené à l'abri par nos propres hommes qui avaient rampé sur le sable, en profitant de l'obscurité.

Ce crash m'envoya dans un hôpital d'Alexandrie pendant six mois, avec une fracture du crâne et de nombreuses brûlures. Lorsque j'en sortis, en avril 1941, mon escadrille avait été déplacée en Grèce pour combattre les Allemands qui envahissaient le pays par le nord. On me confia un Hurricane avec mission de l'amener d'Égypte en Grèce pour rejoindre l'escadrille. Le chasseur Hurricane n'était pas du tout semblable au vieux Gladiator. Il était équipé de huit mitrailleuses Browning, quatre dans chaque aile, et toutes les huit tiraient simultanément lorsqu'on appuyait sur un petit bouton placé sur le manche. C'était un avion merveilleux mais il n'avait que deux heures d'autonomie. Le vol vers la Grèce sans escale prendrait près de cinq heures, toujours au-dessus de l'eau. On m'installa donc des réservoirs supplémentaires sous les ailes et on m'assura que j'y arriverais. Finalement, j'y parvins, en effet. Mais de justesse. Quand on mesure un mètre quatre-vingt-quinze, comme moi, ce n'est pas une partie de plaisir de rester recroquevillé pendant cinq heures dans un minuscule cockpit.

En Grèce, la R.A.F. avait un total d'environ dix-huit Hurricane. Les Allemands disposaient d'au moins mille avions opérationnels. Nous avons passé un mauvais moment. Nous fûmes chassés de notre aérodrome proche d'Athènes (Éleusis) et pendant un certain temps, nous dûmes décoller d'une petite piste secrète située plus à l'ouest (Menidi). Les Allemands la découvrirent bientôt et la réduisirent en miettes. Avec le peu d'avions qui nous restaient, il fallut donc se replier sur un minuscule terrain (Argos) bien plus loin au sud de la Grèce, où nous cachions nos Hurricane sous les oliviers lorsque nous n'étions pas en vol.

Mais cette situation ne pouvait se prolonger. En peu de temps, il ne nous resta plus que cinq Hurricane et il n'y avait plus beaucoup de pilotes en vie. Ces cinq appareils furent amenés en Crète. Les Allemands s'emparèrent alors de cette île. Certains d'entre nous parvinrent à s'échapper. Je fus l'un de ceux qui eurent cette chance. Je finis par me retrouver à nouveau en Égypte. L'escadrille fut reformée et équipée de nouveaux Hurricane. On nous envoya à Haïfa, qui se trouvait en Palestine (aujourd'hui en Israël), où nous combattîmes une nouvelle fois les Allemands et les Français de Vichy, au Liban et en Syrie.

À cette époque, mes anciennes blessures à la tête me rattrapèrent. De sérieuses migraines m'obligèrent à cesser de voler. On décida de me rapatrier en Angleterre pour raison de santé et j'embarquai à Suez sur un navire de transport de troupes qui fit route vers Durban, Le Cap, Lagos puis Liverpool, poursuivi par les sous-marins allemands dans l'Atlantique et bombardé par des Focke-Wulf à long rayon d'action, chaque jour de sa dernière semaine de traversée.

Il y avait quatre ans que je n'étais pas rentré chez moi. Ma mère, chassée de sa propre maison du Kent par les bombardements de la bataille d'Angleterre, habitait maintenant un petit cottage au toit de chaume dans le Buckinghamshire. Elle fut heureuse de me revoir. Mes quatre sœurs et mon frère également. On me donna une permission d'un mois. Puis soudain, on m'annonça que j'étais nommé à Washington D.C., aux États-Unis d'Amérique, comme adjoint auprès de l'attaché de l'Air. Nous étions en janvier 1942 et un mois auparavant, les Japonais avaient bombardé la flotte américaine à Pearl Harbor. Les États-Unis étaient donc eux aussi en guerre, à présent.

J'avais vingt-six ans lorsque j'arrivai à Washington et l'idée ne m'était toujours pas venue de devenir écrivain.

Au matin de mon troisième jour, j'étais assis dans mon nouveau bureau de l'ambassade britannique en me demandant ce que je pouvais bien être censé faire ici lorsqu'on frappa à ma porte.

– Entrez.

Un homme tout petit aux grosses lunettes cerclées de fer entra timidement dans la pièce en traînant les pieds.

– Pardonnez-moi de vous déranger, dit-il.

– Vous ne me dérangez pas du tout, répondis-je. Je n'ai strictement rien à faire.

Il resta debout devant moi, semblant mal à l'aise et déplacé dans cet endroit. Je pensai qu'il cherchait peut-être du travail.

– Je m'appelle Forester, dit-il. C. S. Forester.

Je faillis tomber de mon fauteuil.

– Vous plaisantez? répliquai-je.

– Non, reprit-il avec un sourire. C'est moi.

Et c'était vrai. C'était le grand écrivain en personne, le créateur du capitaine Hornblower et le meilleur conteur d'histoires de mer depuis Joseph Conrad. Je le priai de s'asseoir.

– Écoutez, dit-il, je suis trop vieux pour faire la guerre. Je vis ici, maintenant. La seule contribution que je puisse apporter, c'est d'écrire des choses sur la Grande-Bretagne pour les journaux et les magazines américains. Nous avons besoin de toute l'aide que l'Amérique peut nous apporter. Un magazine qui s'appelle le *Saturday Evening Post* va publier tous les textes que je lui apporterai. J'ai un contrat avec eux. Et je suis venu vous voir car je crois que vous avez une histoire intéressante à raconter. Je veux dire dans le domaine de l'aviation.

– Pas plus que des milliers d'autres, répondis-je. Il y a plein de pilotes qui ont abattu beaucoup plus d'avions que moi.

– Ce n'est pas le sujet, déclara Forester. Vous êtes à présent en Amérique et comme vous avez « été au combat », comme on dit ici, vous êtes un oiseau rare de ce côté de l'Atlantique. N'oubliez pas qu'ils viennent tout juste d'entrer en guerre.

– Que voulez-vous que je fasse? demandai-je.

– Venez donc déjeuner avec moi, répondit-il. Vous me direz tout pendant que nous mangerons. Racontez-moi votre aventure la plus passionnante et je l'écrirai pour le *Saturday Evening Post*. Chaque petite chose peut être utile.

J'étais enthousiaste. Je n'avais encore jamais rencontré d'écrivain célèbre et je l'observai attentivement pendant qu'il était assis dans mon bureau. Ce qui me stupéfiait, c'était qu'il parût si ordinaire. Il n'y avait rien d'original chez lui. Son visage, sa conversation, son regard derrière ses lunettes, même ses vêtements étaient tout ce qu'il y avait de plus normal. Et pourtant, c'était un écrivain célèbre dans le monde entier. Ses livres avaient été lus par des millions de gens. Je m'attendais à voir des étincelles jaillir de sa tête, ou tout au moins aurait-il dû porter une longue cape verte et un chapeau mou à large bord.

Mais non. Et ce fut alors que je me rendis compte pour la première fois qu'il y a deux faces distinctes chez un auteur de fiction. D'abord la face qu'il montre en public, celle d'une personne ordinaire, comme n'importe quelle autre, qui fait des choses ordinaires, parle un langage ordinaire. Et puis la face secrète qui n'apparaît en lui que lorsqu'il a refermé la porte de son bureau et qu'il est complètement seul. C'est alors qu'il glisse entièrement dans un autre monde, un monde où son imagination prend les commandes et il se surprend lui-même à *vivre* véritablement dans les lieux qui constituent ses décors du moment. Si vous voulez le savoir, je tombe moi aussi dans une sorte de transe et tout disparaît autour de moi. Je ne vois que la pointe de mon stylo qui court sur le papier et très souvent, deux heures s'écoulent comme s'il ne s'était passé que deux secondes.

– Venez, me dit C. S. Forester. Allons déjeuner. Vous ne semblez pas avoir autre chose à faire.

Quand je sortis de l'ambassade au côté du grand homme, je bouillonnais d'excitation. J'avais lu tous les Hornblower et à peu près tous les autres livres qu'il avait écrits. J'aimais, et j'aime toujours beaucoup, les livres qui se passent sur la mer. J'avais lu tous les romans de Conrad et tous ceux de cet autre merveilleux écrivain de la mer, le capitaine Marryat (*L'Aspirant, Pierre Simple,* etc.), et voilà que j'allais déjeuner avec quelqu'un qui, à mes yeux, était aussi un formidable auteur.

Il m'emmena dans un petit restaurant français très cher, près de l'hôtel Mayflower, à Washington. Il commanda un déjeuner somptueux, puis il sortit un carnet et un crayon (les stylos à bille n'avaient pas encore été inventés en 1942) et les posa sur la nappe.

– Maintenant, dit-il, racontez-moi la chose la plus palpitante, la plus effrayante, ou la plus dangereuse qui vous soit arrivée lorsque vous pilotiez des chasseurs.

J'essayai de me lancer. Je lui parlai du jour où j'avais

été abattu dans le désert et où l'avion avait pris feu.

La serveuse apporta deux assiettes de saumon fumé. Pendant que nous nous efforcions de manger, je tentais de parler et Forester tentait de prendre des notes.

Le plat principal était un canard rôti, accompagné de légumes, de pommes de terre et d'une sauce riche et épaisse. C'était un mets qui exigeait une attention sans partage et l'usage de ses deux mains. Mon récit commençait à s'enliser. Forester ne cessait de poser son crayon pour prendre sa fourchette, et vice versa. Les choses ne se présentaient pas bien. Et de toute façon, je n'ai jamais été très doué pour raconter des histoires à haute voix.

– Écoutez, dis-je, si vous voulez, je vais essayer d'écrire sur papier ce qui s'est passé et je vous l'enverrai. Vous pourrez alors le récrire convenablement en prenant votre temps. Ne serait-ce pas plus facile? Je pourrais m'y mettre dès ce soir.

Bien que je n'en eusse pas conscience à ce moment-là, ce fut l'instant qui changea ma vie.

– C'est une merveilleuse idée, approuva Forester. Comme ça, je vais ranger ce stupide carnet et nous pourrons enfin profiter de notre déjeuner. Ça ne vous ennuie pas de faire cela pour moi?

– Ça ne m'ennuie pas le moins du monde, assurai-je. Mais ne vous attendez pas à quelque chose de très brillant. Je me contenterai de rapporter les faits.

– Ne vous inquiétez pas, dit-il. Du moment que les faits sont là, je peux me charger d'écrire l'histoire. Mais s'il vous plaît, ajouta-t-il, donnez-moi plein de détails. C'est ce qui compte, dans notre métier, les minuscules petits détails, par exemple si vous aviez un lacet cassé à la chaussure gauche, ou si une mouche s'était posée sur le bord de votre verre pendant le déjeuner, ou si l'homme à qui vous parliez avait une dent de devant cassée. Essayez d'y repenser et de vous souvenir de tout.

– Je ferai de mon mieux, promis-je.

Il me donna une adresse où je pourrais lui envoyer mon histoire, puis nous oubliâmes tout cela pour finir notre déjeuner en toute tranquillité. Mais Mr Forester n'avait pas beaucoup de conversation. Il était certain qu'il ne parlait pas aussi bien qu'il écrivait et bien qu'il fût très aimable, très gentil, aucune étincelle ne jaillissait de sa tête et j'aurais pu tout aussi bien me trouver avec un agent de change ou un avocat d'une bonne intelligence.

Ce soir-là, dans la petite maison où je vivais seul dans un faubourg de Washington, je m'assis à ma table et écrivis mon histoire. Je commençai vers sept heures du soir et terminai à minuit. Je me souviens d'avoir bu un verre de cognac portugais pour m'encourager. Pour la première fois de ma vie, je m'absorbai complètement dans ce que je faisais. Je remontai le temps et me retrouvai à nouveau dans le désert brûlant de Libye, du sable blanc sous mes pieds, montant dans le cockpit du vieux Gladiator, me sanglant à mon siège, ajustant mon casque, lançant le moteur et roulant vers la piste de décollage. Je fus stupéfait de voir comment tout me revenait en mémoire avec une totale clarté. L'écrire n'était pas difficile. L'histoire semblait se raconter d'elle-même et la main qui tenait le stylo se déplaçait très vite d'un côté à l'autre de chaque page. Par simple amusement, lorsque j'eus terminé, je donnai un titre à l'histoire. Je l'appelai *C'est du gâteau.*

Le lendemain, quelqu'un de l'ambassade la dactylographia pour moi et je l'envoyai à Mr Forester. Puis j'oubliai tout cela.

Deux semaines plus tard exactement, je reçus une réponse du grand homme. Il m'écrivait :

Cher RD,

Vous deviez me donner des notes, non pas une histoire achevée. Je suis abasourdi. Votre texte est une merveille. C'est le travail d'un écrivain doué. Je n'y ai pas changé un mot. Je l'ai aussitôt envoyé sous votre nom à mon agent, Harold Matson, en lui demandant de le proposer au Saturday Evening Post *avec ma recommandation personnelle. Vous serez sans doute heureux d'apprendre que le Post l'a immédiatement accepté en le payant mille dollars. La commission de Mr Matson est de dix pour cent. Je vous joins son chèque de neuf cents dollars. Cette somme vous appartient entièrement. Comme vous le verrez dans la lettre de Mr Matson, que je vous envoie aussi, le Post vous demande si vous voulez bien écrire d'autres histoires pour eux. J'espère vraiment que oui. Saviez-vous que vous étiez un écrivain ? Avec mes meilleurs sentiments et toutes mes félicitations.*

C. S. Forester

C'est du gâteau figure à la fin de ce livre.

« Eh bien ! pensai-je. Incroyable ! Neuf cents dollars ! Et ils vont l'imprimer ! Mais ça ne peut sûrement pas être aussi facile que ça ? »

Étrangement, ce fut pourtant le cas.

L'histoire que j'écrivis ensuite était une fiction. Je l'avais inventée. Ne me demandez pas pourquoi. Et Mr Matson la vendit aussi. Là-bas, à Washington, pendant les deux années qui suivirent, j'écrivis au cours de mes soirées onze nouvelles. Toutes furent vendues à des magazines américains et plus tard, on les publia dans un petit livre intitulé *À tire-d'aile*.

Au début de cette période, je m'essayai également à imaginer une histoire pour les enfants. Elle s'appelait *Les Gremlins* et je crois que c'est la première fois que ce terme a été utilisé. Dans mon histoire, les

Gremlins étaient des hommes minuscules qui vivaient à bord des chasseurs et des bombardiers de la R.A.F. et c'étaient les Gremlins, pas l'ennemi, qui étaient responsables de tout ce qu'on subissait dans les combats, impacts de balle, moteurs en feu, atterrissages forcés. Les Gremlins avaient des femmes, les Fifinellas, ainsi que des enfants, les Widgets, et bien que l'histoire elle-même fût manifestement l'œuvre d'un écrivain inexpérimenté, elle fut achetée par Walt Disney qui décida d'en faire un long métrage d'animation. Mais elle parut d'abord dans *Cosmopolitan Magazine* avec des illustrations en couleurs de Disney (décembre 1942). À partir de là, les Gremlins se répandirent rapidement dans toute la R.A.F. et la U.S. Air Force, et devinrent une sorte de légende.

Grâce aux Gremlins, on me donna un congé de trois semaines et je filai à Hollywood. Là, on me logea aux frais de Disney dans un luxueux hôtel de Beverly Hills et une voiture énorme, étincelante, fut mise à ma disposition. Chaque jour, je travaillais avec le grand Disney, dans ses studios de Burbank, à tracer les grandes lignes du scénario. C'était la fête. Je n'avais toujours que vingt-six ans. Les séances de travail avaient lieu dans l'immense bureau de Disney où chaque mot prononcé, chaque suggestion formulée étaient notés par une sténographe et tapés à la machine par la suite. Je traînais dans les salles où travaillaient des dessinateurs talentueux et tapageurs, ceux-là mêmes qui avaient déjà créé *Blanche-Neige, Dumbo, Bambi,* et autres films fabuleux. En ce temps-là, du moment que ces artistes un peu fous faisaient leur travail, Disney ne se souciait pas de savoir s'ils venaient ou non au studio et peu lui importait la façon dont ils se conduisaient.

Lorsque mon congé arriva à sa fin, je retournai à Washington en les laissant continuer le travail.

Mon histoire de Gremlins fut publiée à New York et à Londres sous la forme d'un livre pour enfants, rempli d'illustrations en couleurs de Disney, et porta évidemment pour titre *Les Gremlins.* Il n'en reste plus à présent que de rares exemplaires difficiles à dénicher. J'en possède un moi-même. Quant au film, il ne fut jamais terminé. J'ai l'impression que Disney ne se sentait pas très à l'aise dans cette fantaisie un peu particulière. Là-bas, à Hollywood, il était très loin de la grande guerre aérienne qui se livrait en Europe. En plus, c'était une histoire qui se déroulait dans la Royal Air Force et non pas parmi ses compatriotes, ce qui ajoutait, je crois, à sa perplexité. Il finit donc par se désintéresser du projet et laissa complètement tomber cette idée.

Mon petit livre sur les Gremlins fut également à l'origine d'une des choses les plus extraordinaires qui me soient arrivées au cours de ces années de guerre à

Washington. Eleanor Roosevelt le lut à ses petits-enfants à la Maison-Blanche et apparemment, l'histoire lui plut beaucoup. Je fus alors invité à dîner avec elle et le président. Je m'y rendis, frémissant d'excitation. Nous passâmes une merveilleuse soirée et je fus de nouveau invité. Par la suite, Mme Roosevelt me convia à des week-ends à Hyde Park, la maison de campagne du président. Là-bas, vous me croirez si vous voulez, je passai de longs moments seul avec Franklin Roosevelt pendant ses heures de détente. Je m'asseyais avec lui tandis qu'il préparait des Martini dry avant le déjeuner du dimanche et il me disait des choses du genre : « Je viens de recevoir un câble intéressant de Mr Churchill. » Puis il me résumait son contenu qui pouvait concerner le bombardement de l'Allemagne ou la destruction des sous-marins et je m'appliquais de mon mieux à paraître calme, en bavardant sur le ton de la conversation, alors qu'en fait, je tremblais à la pensée que l'homme le plus puissant du monde était en train de me révéler des secrets de la plus haute importance. Parfois, il m'emmenait faire le tour du domaine dans sa voiture, une vieille Ford je crois, spécialement aménagée pour lui permettre de conduire malgré la paralysie de ses jambes. Toutes les commandes étaient actionnées à la main. Les agents des services secrets chargés de sa protection le soulevaient de sa chaise roulante pour l'installer derrière le volant puis il les congédiait d'un signe de la main et nous partions, filant sur des routes étroites à des vitesses impressionnantes.

Un dimanche, pendant le déjeuner à Hyde Park, Franklin Roosevelt raconta une histoire qui secoua les invités. Nous étions environ quatorze, assis de part et d'autre de la longue table, notamment la princesse Martha de Norvège et plusieurs membres du gouvernement. Nous mangions un poisson blanc, assez insipide, recouvert d'une épaisse sauce grise lorsque le président pointa soudain l'index vers moi et dit :

– Nous avons un Anglais, ici. Permettez-moi de vous raconter ce qui est arrivé à un autre Anglais, un représentant du roi, en visite à Washington en 1827.

Il donna le nom de cet homme mais je l'ai oublié. Puis il poursuivit :

– Pendant son séjour ici, ce monsieur est mort et les Britanniques, pour je ne sais quelle raison, tenaient à ce que son corps soit rapatrié en Angleterre afin de l'y enterrer. Or, en ce temps-là, la seule manière de procéder était de le conserver dans l'alcool. Le corps a donc été plongé dans un tonneau de rhum. Ensuite, le tonneau a été attaché au mât d'un schooner et le navire est parti. Au bout de quatre semaines en mer, le capitaine du schooner a remarqué qu'une redoutable puanteur se dégageait du tonneau. À la fin, l'odeur était devenue si atroce qu'il a fallu détacher le tonneau du mât et le passer par-dessus bord. Et vous savez *pourquoi* il empestait tant ? demanda le président, le visage rayonnant, en adressant à ses invités son célèbre sourire. Je vais vous dire pourquoi. Des marins avaient percé un trou en bas du tonneau et y avaient enfoncé une bonde. Ensuite, chaque soir, ils allaient boire le rhum. C'est quand le tonneau a été vide que les ennuis ont commencé.

Franklin Roosevelt éclata d'un grand rire. Plusieurs dames à la table devinrent très pâles et je les vis repousser discrètement leur assiette de poisson bouilli.

Toutes les histoires que j'écrivis dans ces premières années étaient des fictions, sauf celle que j'avais faite pour C. S. Forester. La non-fiction, qui consiste à écrire des choses ayant véritablement eu lieu, ne m'intéresse pas. Ce qui me plaît le moins, c'est de parler de mes propres expériences. Cela explique pourquoi ce récit est tellement dépourvu de détails. J'aurais pu facilement décrire ce qu'on ressent quand on se retrouve dans un combat aérien contre des chasseurs allemands à quatre mille cinq cents mètres au-dessus du Parthénon d'Athènes, j'aurais pu parler du frisson qu'on éprouve en poursuivant des Junker 88 au milieu des montagnes du nord de la Grèce, mais je ne veux pas le faire. Moi, c'est en inventant des histoires que je prends plaisir à écrire.

En dehors de celui que j'ai donné à Forester, je crois que je n'ai écrit dans ma vie qu'un seul autre texte de non-fiction et je l'ai fait parce que le sujet était tellement passionnant que je n'ai pas pu y résister. L'histoire s'appelle *Le Trésor de Mildenhall*.

Et voilà. C'est de cette façon que je suis devenu écrivain. Si je n'avais pas eu la chance de rencontrer Mr Forester, ce ne serait sans doute jamais arrivé.

Aujourd'hui, plus de trente ans plus tard, je continue à travailler avec constance. Pour moi, la chose la plus importante et la plus difficile dans l'écriture, c'est de trouver le sujet. Les bons sujets originaux ne viennent pas facilement. On ne sait jamais quand une excellente idée va soudain vous traverser l'esprit, mais nom d'un chien, quand elle arrive, on la saisit des deux mains et on s'y accroche fermement. Le truc, c'est de l'écrire immédiatement, sinon, on l'oublie. Un bon sujet est semblable à un rêve. Si vous n'écrivez pas votre rêve sur un papier au moment où vous vous réveillez, il y a de fortes chances pour qu'il vous sorte de la tête et soit à jamais perdu.

Aussi, quand une idée d'histoire surgit dans mon esprit, je me précipite sur un crayon, un pastel, un tube de rouge à lèvres, n'importe quoi qui puisse écrire, et je griffonne quelques mots qui, plus tard, me rappelleront cette idée. Souvent, il suffit d'un mot.

Un jour, je roulais seul sur une route de campagne, au volant de ma voiture, et j'eus l'idée de raconter l'histoire de quelqu'un qui serait coincé dans un ascenseur, entre deux étages d'une maison vide. Dans la voiture, je n'avais rien pour écrire. Je m'arrêtai donc et sortis. Le coffre arrière était couvert de poussière. D'un doigt, je traçai dans la saleté le mot ASCENSEUR. Ce fut suffisant. Dès que je revins chez moi, je filai droit dans mon bureau et notai l'idée dans un vieux cahier d'écolier à la couverture rouge qui porte simplement l'étiquette « Histoires ».

J'ai ce cahier depuis le jour où j'ai commencé à écrire sérieusement. Il comporte quatre-vingt-dix-huit pages. Je les ai comptées. Et à peu près chaque page est remplie recto verso de ce qu'on pourrait appeler ces idées d'histoire. Beaucoup d'entre elles ne sont pas bonnes. Mais presque chaque nouvelle et chaque livre pour la jeunesse que j'ai écrits ont commencé par des notes de trois ou quatre lignes rédigées dans ce petit volume à la couverture rouge complètement usée. Par exemple :

What about a chocolate factory
That makes fantastic and marvellous
Things — with a crazy man running it?

(Pourquoi pas une usine de chocolats qui ferait des choses fantastiques et merveilleuses – avec un fou qui en serait le directeur?)

Ce qui devint *Charlie et la chocolaterie*.

> A story about Mr. Fox who has a whole network of underground Tunnels leading to all the shops in the village. At night, he goes up through the floorboards and helps himself.

(L'histoire de Mr Fox qui a tout un réseau de souterrains menant à tous les magasins du village. La nuit, il y pénètre en passant par le plancher et se sert.)

Ce qui devint *Fantastique Maître Renard*.

> Jamaica and The small boy who saw a giant Turtle captured by native fishermen. Boy pleads with his father To buy Turtle and release it. Becomes hysterical. Father buys it. Then what? Perhaps boy goes with or joins Turtle.

(La Jamaïque et le petit garçon qui a vu des pêcheurs locaux capturer une tortue géante. Le garçon supplie son père d'acheter la tortue et de la libérer. Il devient hystérique. Le père l'achète. Et ensuite ? Peut-être que le garçon part avec la tortue ou va la rejoindre.)

Ce qui devint *L'Enfant qui parlait aux animaux.*

A man acquires the ability to see through playing-cards. He makes millions at casinos.

(Un homme acquiert la faculté de voir à travers les cartes à jouer. Il gagne des millions dans les casinos.)

Ce qui devint *Henry Sugar.*

Parfois, ces petits griffonnages sur les pages du cahier restent inutilisés pendant cinq ou même dix ans. Mais les plus prometteurs finissent toujours par donner un résultat. Et s'ils ne devaient montrer qu'une seule chose, ce serait, je crois, à quel point sont ténus les fils à partir desquels un livre pour la jeunesse ou une nouvelle vont finalement être tissés. L'histoire s'étoffe et se développe au fur et à mesure qu'on l'écrit. Ce qu'il y a de meilleur vient à la table de travail. Mais on ne peut pas écrire une histoire avant d'avoir un début d'intrigue. Sans mon petit carnet, je serais complètement perdu.

C'EST DU GÂTEAU

MA PREMIÈRE HISTOIRE - 1942

Je ne me souviens pas de grand-chose – pas de ce qui a précédé, en tout cas – avant le moment où ça s'est passé.

Il y a eu l'atterrissage à Fouka, où les gars qui pilotaient les Blenheim nous ont aidés et nous ont donné du thé pendant qu'on nous remplissait les réservoirs. Je me souviens du silence des Blenheim boys, la façon dont ils allaient dans la tente du mess prendre du thé et s'asseyaient pour le boire sans dire un mot ; la façon dont ils se levaient puis ressortaient quand ils avaient fini, toujours sans un mot. Et je savais que chacun d'eux faisait des efforts pour tenir le coup, car les choses ne se passaient pas très bien à ce moment-là. Ils devaient partir en mission trop souvent et il n'y avait pas de remplacement en vue.

Nous les avons remerciés pour le thé et nous sommes allés voir s'ils avaient fini de refaire le plein de nos Gladiator. Je me souviens que le vent soufflait si fort que la manche à air restait droite, comme un panneau de signalisation. Le sable nous tourbillonnait autour des jambes et produisait comme un froissement quand il cinglait les tentes, et les tentes claquaient au vent tels des hommes de toile battant des mains.

– Les gars des bombardiers ont l'air malheureux, dit Peter.

– Non, pas malheureux, répondis-je.

– En tout cas, ils en ont marre.

– Non, ils sont crevés, c'est tout. Mais ils continueront. On voit qu'ils essayent de continuer.

Nos deux vieux Gladiator étaient rangés côte à côte dans le sable et les hommes de la maintenance, avec leurs chemises et leurs shorts kaki, semblaient toujours occupés à remplir les réservoirs. Je portais une combinaison de vol en coton blanc et fin et Peter en avait une bleue. On n'avait besoin de rien de plus chaud pour voler.

– C'est à quelle distance ? demanda Peter.

– Vingt et un miles après Charing Cross, répondis-je. Du côté droit de la route.

On appelait Charing Cross l'endroit où la route bifurquait vers le nord en direction de Mersa Matruh.

L'armée italienne se trouvait devant Mersa et les choses marchaient assez bien pour elle. À ma connaissance, c'était la première fois que les choses marchaient bien pour les Italiens. Leur moral monte et descend comme un altimètre ultrasensible et à ce moment-là, il était à quarante mille pieds parce que l'Axe dominait le monde. Nous attendîmes que nos réservoirs soient pleins.

– C'est du gâteau, dit Peter.

– Oui. Ça devrait être facile.

Nous nous séparâmes et je grimpai dans mon cockpit. Je me suis toujours souvenu de l'homme qui m'a aidé à m'attacher. Il avait un certain âge, dans les quarante ans, et il était chauve à part une touffe bien nette de cheveux dorés, à l'arrière de la tête. Son visage était tout en rides, ses yeux ressemblaient à ceux de ma grand-mère et il semblait avoir passé sa vie à aider à s'attacher dans leur cockpit des pilotes qui ne revenaient jamais. Il était debout sur l'aile, tirant sur mes sangles et me dit :

– Ne prenez pas de risques. Ça n'a pas de sens de prendre des risques.

– C'est du gâteau, répondis-je.

– Tu parles.

– Vraiment. Ce n'est rien du tout. Du gâteau.

Je ne me rappelle plus très bien ce qui s'est passé tout de suite après. Je me souviens seulement de ce qui est arrivé plus tard. Nous avons dû décoller de Fouka puis voler vers l'ouest en direction de Mersa et j'imagine qu'on volait à environ huit cents pieds. On a dû voir la mer sur tribord et je suppose – non, je suis certain – qu'elle était bleue, qu'elle était belle, surtout quand les vagues roulaient sur le sable et dessinaient d'est en ouest une ligne blanche, longue et large, aussi loin que portait le regard. J'imagine qu'on a survolé Charing Cross et qu'on a continué sur vingt et un miles, vers l'endroit qu'on nous avait indiqué, mais je n'en suis pas sûr. La seule chose que je sache, c'est que nous avons eu des ennuis, des tas et des tas d'ennuis, je sais aussi que nous avions viré et que nous étions en train de revenir lorsque les ennuis ont empiré. Le plus gros ennui, c'était que je volais trop bas pour pouvoir sauter en parachute et c'est à partir de ce moment-là que la mémoire me revient. Je me souviens que l'appareil piquait, je me souviens que j'ai regardé le sol au-delà du nez de la machine et que j'ai vu un petit bouquet d'alhagis qui avaient poussé là tout seuls. Je me souviens d'avoir vu des rocs dans le sable, à côté des alhagis. Et puis les alhagis, le sable, les rocs ont bondi du sol en se jetant sur moi. Ça, je m'en souviens très clairement.

Après, il y a un petit moment de non-souvenir. Peut-être une seconde, peut-être trente, je n'en sais rien. J'ai l'idée que c'était très court, plutôt une seconde, ensuite j'ai entendu un *crumph* à ma droite, au moment où le réservoir de tribord prenait feu, puis un autre *crumph* à gauche quand le réservoir de bâbord s'est enflammé à son tour. Pour moi, ce n'était pas très important et pendant un moment, je suis resté assis, immobile, en me sentant bien, juste un peu somnolent. Mes yeux ne me permettaient pas de voir, mais ce n'était pas très important non plus. Il n'y avait rien d'inquiétant. Absolument rien. Jusqu'à ce que je sente la chaleur autour de mes jambes. Au début, il s'agissait d'une simple tiédeur, et ça aussi, c'était très bien, mais tout à coup, c'est devenu une vraie chaleur, une chaleur cuisante, brûlante, sur toute la longueur de chaque jambe.

Je savais que cette chaleur était désagréable, mais je ne savais rien d'autre. Elle ne me plaisait pas, alors j'ai replié mes jambes sous le siège et j'ai attendu. Je pense que quelque chose marchait mal dans le système télégraphique qui reliait mon corps à mon cerveau. Il ne semblait pas très bien fonctionner. Il était un peu lent à signaler au cerveau ce qui se passait et à demander des instructions. Mais j'imagine que le message a fini par être transmis et qu'il disait : « Il y a une très forte chaleur en bas. Que devons-nous faire? Signé Jambe Gauche et Jambe Droite. » Pendant longtemps, il n'y a pas eu de réponse. Le cerveau examinait la question.

Puis, lentement, mot par mot, la réponse fut envoyée le long des fils : « L'avion – est – en – train – de – brûler. Sortez – de – là – je – répète – sortez – de – là – sortez – de – là. » L'ordre fut transmis à tout le système, à tous les muscles des jambes, des bras, du corps, et les muscles se mirent au travail. Ils essayèrent de faire de leur mieux, ils poussèrent un peu, tirèrent un peu et se tendirent considérablement, mais sans effet. Un nouveau télégramme monta au cerveau : « Impossible de sortir. Quelque chose nous retient. » Cette fois, la réponse mit encore plus longtemps à arriver, je restai assis en attendant qu'elle vienne, et pendant tout ce temps, la chaleur augmentait. Quelque chose m'immobilisait et c'était au cerveau de trouver quoi. S'agissait-il de mains géantes qui appuyaient sur mes épaules ou de lourdes pierres ou de maisons ou de rouleaux compresseurs ou d'armoires de bureau ou des lois de la pesanteur ou bien étaient-ce des cordes qui m'attachaient ? Attends un peu. Des cordes – des cordes. Le message commençait à passer. Très lentement. « Tes – sangles. Détache – tes – sangles. » Mes bras reçurent le message et se mirent à l'œuvre. Ils tirèrent sur les sangles, mais elles ne cédèrent pas. Ils tirèrent encore et encore, assez faiblement, autant qu'ils le pouvaient, mais rien n'y faisait. Un autre message partit dans l'autre sens. « Comment doit-on s'y prendre pour détacher les sangles ? »

Cette fois, je crois que je suis resté trois ou quatre minutes à attendre la réponse. Il ne servait à rien de se dépêcher ou de s'impatienter. C'était la seule chose dont j'étais sûr. Mais cela en prit, du temps. J'ai dit à haute voix :

– Laisse tomber. Je vais brûler. Je vais...

Mais je fus interrompu. La réponse arrivait – non, elle n'arrivait pas – si, elle me parvenait lentement. « Tire – sur – la – goupille – de – déblocage – rapide – espèce – de – sombre – idiot – et – vite. »

La goupille sauta et les sangles se détachèrent. Maintenant, sortir. Sortir, sortir. Mais je n'y arrivais pas. Je ne parvenais tout simplement pas à me hisser hors du cockpit. Bras et jambes essayaient de leur mieux mais c'était inutile. Un dernier message désespéré monta en un éclair et cette fois, il était classé « Urgent ».

« Quelque chose d'autre nous retient, disait-il. « Quelque chose d'autre, quelque chose d'autre, quelque chose de lourd. »

Mais bras et jambes renoncèrent à lutter. Ils semblaient savoir instinctivement qu'il ne servait à rien d'épuiser leurs forces. Ils restèrent tranquilles et attendirent la réponse. Elle mit un temps fou à arriver ! Vingt, trente, quarante secondes bien chaudes. Pas encore chauffées au rouge, il n'y avait pas de chair grésillante ni d'odeur de viande brûlée, mais cela pouvait se produire à n'importe quel moment, car ces vieux Gladiator ne sont pas en acier renforcé comme les Hurricane ou les Spitfire. Ils ont des ailes tendues de toile, enduites d'un vernis merveilleusement inflammable, avec, en dessous, des centaines de petits morceaux de bois, du genre qu'on utilise pour allumer un feu, mais plus fins et plus secs. Si quelqu'un d'ingénieux disait un jour : « Je vais construire un gros objet qui brûlera mieux et plus vite que n'importe quoi d'autre au monde », et s'il s'applique à sa tâche avec diligence, il finira sans doute par produire quelque chose qui ressemblera beaucoup à un Gladiator. Je restai assis, attendant toujours.

Soudain vint la réponse, magnifique dans sa brièveté, et qui en même temps expliquait tout. « Ton parachute – tourne – la – boucle. »

Je tournai la boucle, me débarrassai du harnais du parachute, puis avec effort, me hissai et basculai sur le côté, par-dessus le cockpit. Quelque chose semblait brûler, je roulai sur moi-même dans le sable, puis m'éloignai du feu à quatre pattes et enfin m'étendis par terre.

J'entendis les munitions de ma mitrailleuse exploser sous la chaleur et j'entendis aussi des balles s'enfoncer dans le sable avec un bruit mat. Je ne m'en inquiétai pas. Je les entendais, simplement.

Tout cela commençait à me faire mal. C'était mon visage qui était le plus douloureux. Mon visage n'était pas normal. Il lui était arrivé quelque chose. Lentement, je levai une main pour le tâter. Il était poisseux. Mon nez semblait ne plus être là. J'essayai de sentir mes dents mais je ne me rappelle pas si mon examen a été concluant. Je crois que je me suis assoupi.

Tout à coup, il y eut Peter. J'entendis sa voix, je l'entendis danser et crier comme un fou, il me serra la main et me dit :

– Mon Dieu, j'ai cru que tu étais toujours à l'intérieur. Je me suis posé à un demi-mile d'ici et j'ai couru comme un fou. Comment tu te sens, ça va ?

Je lui répondis :

– Peter, qu'est-ce qui est arrivé à mon nez ?

J'entendis qu'il craquait une allumette dans l'obscurité. La nuit tombe vite, dans le désert. Il y eut un silence.

– J'ai l'impression qu'il n'est plus tellement là, dit-il. Ça fait mal ?

– Ne sois pas idiot, évidemment que ça fait mal.

Il m'annonça qu'il retournait à sa machine pour aller chercher de la morphine dans sa trousse d'urgence mais il revint très vite en me disant qu'il n'arrivait plus à retrouver son appareil dans le noir.

– Peter, lui dis-je, je ne vois plus rien.

– C'est la nuit, répondit-il. Moi non plus, je ne vois rien.

Il faisait froid, à présent. Un froid glacial et Peter s'allongea à côté de moi pour que nous puissions nous tenir un peu plus chaud. De temps en temps, il répétait :

– Je n'avais encore jamais vu quelqu'un sans nez.

Des flots de sang continuaient de gicler et chaque fois que cela m'arrivait, Peter enflammait une allumette. À un moment, il me donna une cigarette mais elle devint humide et de toute façon, je n'en voulais pas.

Je ne sais pas combien de temps nous sommes restés là et il n'y a pas grand-chose d'autre dont je me souvienne. Je me rappelle avoir répété à Peter que j'avais dans ma poche une boîte de pastilles contre la toux et qu'il devrait en prendre une, sinon, il attraperait mon mal de gorge. Je me rappelle lui avoir demandé où nous étions, lui me répondant :

– Nous sommes entre les deux armées.

Je me souviens alors d'avoir entendu des voix qui parlaient anglais. C'était une patrouille anglaise qui nous demanda si nous étions italiens. Peter leur dit quelque chose, je ne me rappelle plus quoi.

Plus tard, je me souviens d'une soupe chaude, épaisse, et d'une cuillerée qui m'a fait vomir. Et pendant tout ce temps, j'avais cette agréable sensation que Peter était tout près, qu'il était extraordinaire, qu'il faisait pour moi des choses extraordinaires, qu'il ne s'éloignait jamais. C'est tout ce dont je me souviens.

Les hommes étaient à côté de leur appareil et peignaient quelque chose en parlant de la chaleur.

– Peindre des images sur un avion, dis-je.

– Oui, répondit Peter. C'est une merveilleuse idée. Une idée subtile.

– Pourquoi? demandai-je. Explique-moi ça.

– Ce sont des images drôles, répliqua-t-il. Les pilotes allemands vont rire quand ils les verront, ils seront tellement secoués de rire qu'ils n'arriveront plus à tirer droit.

– Des idioties, tout ça, des idioties.

– Non, l'idée est magnifique. C'est très bien. Viens voir.

Nous nous précipitâmes vers la rangée d'avions.

– Va, cours, vole, dit Peter. Va, cours, vole, allez, du nerf.

– Va, cours, vole, répétai-je. Va, cours, vole.

Et nous nous mîmes à danser.

L'homme qui peignait le premier appareil avait un chapeau de paille sur la tête et un visage triste. Il recopiait le dessin d'un magazine. Lorsque Peter le vit, il dit :

– Oh, là, là, regarde cette image.

Et il se mit à rire. Son rire commença à la manière d'un grondement, puis se transforma très vite en un rugissement qui montait de son ventre et il se tapa les cuisses des deux mains en continuant de rire, plié en deux, la bouche grande ouverte, les yeux fermés. Son haut-de-forme en soie tomba de sa tête sur le sable.

– Ce n'est pas drôle, dis-je.

– Pas drôle! s'écria-t-il. Qu'est-ce que tu entends par pas drôle? Regarde-moi. Regarde-moi rire. En riant comme ça, je serais incapable de tirer sur quoi que ce soit. Je ne pourrais pas atteindre une charrette à foin, ni une boutique, ni une tique.

Et il fit des bonds sur le sable, hoquetant, se convulsant de rire. Puis il me prit par le bras et nous dansâmes jusqu'à l'avion suivant.

– Va, cours, vole, dit-il. Va, cours, vole.

Un petit homme au visage chiffonné écrivait sur le fuselage une longue histoire avec un crayon rouge. Son chapeau de paille était planté à l'arrière de sa tête et son visage luisait de sueur.

– Bonjour, dit-il. Bonjour, bonjour.

Et il souleva son chapeau avec beaucoup d'élégance.

– Tais-toi, dit Peter.

Il se pencha et commença à lire ce que le petit

homme avait écrit. Peter ne cessait de s'étrangler, de gronder de rire et tandis qu'il lisait, il recommença à rire de plus belle. Il se balançait d'un côté et de l'autre et dansait en rond sur le sable, le corps penché en avant, se frappant les cuisses des deux mains.

– Oh, là, là, quelle histoire, quelle histoire, quelle histoire! Regarde-moi. Regarde-moi rire.

Et il sautillait sur la pointe des pieds, hochant la tête et gloussant comme un dément. Puis soudain, je compris la plaisanterie et je me mis à rire avec lui. Je riais si fort que j'en avais mal au ventre, je tombai et me roulai dans le sable en rugissant de rire car c'était si drôle que je ne pouvais pas m'en empêcher.

– Peter, tu es merveilleux, m'écriai-je. Mais est-ce que tous ces pilotes allemands lisent l'anglais?

– Oh, bon Dieu, oh, bon Dieu. Arrêtez, cria-t-il. Arrêtez tout de suite.

Ils cessèrent tous de peindre puis se tournèrent lentement et regardèrent Peter. Ils firent un petit pas de danse sur la pointe des pieds et se mirent à scander à l'unisson :

– Des idioties, sur toutes les ailes, sur toutes les ailes, sur toutes les ailes!

– Taisez-vous, dit Peter. Nous sommes dans le pétrin. Il faut rester calmes. Où est mon haut-de-forme?

– Quoi? dis-je.

– Tu sais parler allemand, répondit-il. Tu dois traduire pour nous. Il va traduire pour vous, cria-t-il aux peintres. Il va traduire.

J'aperçus alors son haut-de-forme noir dans le sable. Je détournai les yeux puis regardai encore et le vis à nouveau. C'était un chapeau de soirée en soie et il était posé là, sur le côté, dans le sable.

– Tu es fou, criai-je. Tu es fou à lier. Tu ne sais pas ce que tu fais. Tu vas tous nous faire tuer. Tu es complètement cinglé, tu t'en rends compte ? Fou à lier. Mon Dieu, ce que tu peux être fou.

– Bonté divine, vous en faites, un vacarme. Il ne faut pas crier comme ça, ce n'est pas bon pour vous.

C'était une voix de femme.

– Vous avez trop chaud, maintenant, dit-elle, et je sentis une main qui essuyait mon front avec un mouchoir. Il ne faut pas que vous vous mettiez dans des états pareils.

Elle disparut et je ne vis plus que le ciel, qui était d'un bleu pâle. Il n'y avait pas un seul nuage et les chasseurs allemands étaient partout. Ils étaient au-dessus, au-dessous, de tous les côtés, je ne pouvais aller nulle part, je ne pouvais rien faire. Ils venaient attaquer à tour de rôle et pilotaient leurs avions n'importe comment, virant brusquement, enchaînant les loopings, dansant dans les airs. Mais je n'avais pas peur, à cause des images drôles peintes sur mes ailes.

J'étais confiant et je pensai : « Je vais en combattre cent à moi tout seul et je les descendrai tous. Je les descendrai pendant qu'ils riront; voilà ce que je vais faire. »

Ils s'approchèrent alors d'un peu plus près. Le ciel était rempli de leurs avions. Ils étaient si nombreux que je ne savais plus lesquels surveiller, lesquels attaquer. Si nombreux qu'ils formaient comme un rideau noir sur le ciel, et je ne voyais plus que quelques taches bleues qui se montraient çà et là. Mais il y en avait suffisamment pour remplir la palette d'un peintre, et c'était ce qui comptait. Tant qu'il y en aurait assez pour ça, tout irait bien.

Ils approchaient toujours. Ils étaient vraiment tout près, juste devant mon nez, et je ne voyais plus que les croix noires qui se détachaient nettement contre la couleur des Messerschmitt et contre le bleu du ciel. Tandis que je tournais vivement la tête de tous côtés, je voyais encore plus d'avions, encore plus de croix, puis je ne vis plus rien que les bras de ces croix et le bleu du ciel. Les bras avaient des mains qui se joignaient, formaient un cercle, dansaient autour de mon Gladiator pendant que les moteurs des Messerschmitt chantaient joyeusement d'une voix grave. Ils chantaient *Oranges et citrons* et de temps en temps, deux des avions se détachaient des autres, s'avançaient jusqu'au centre de la piste de danse et lançaient une attaque. Je reconnaissais alors *Oranges et citrons*. Ils viraient, tournoyaient, dansaient sur les pointes, s'arc-boutaient dans les airs, d'un côté puis de l'autre. Et j'entendais la comptine que chantaient les moteurs : « Oranges et citrons, disaient les cloches de Saint-Clément ».

Mais j'étais toujours confiant. Je danserais mieux qu'eux et j'avais une meilleure partenaire. Mon avion était la plus belle fille du monde. En baissant les yeux, je voyais la courbe de son cou, l'arrondi délicat de ses épaules pâles, je voyais ses bras minces, avides, tendus.

Soudain, j'aperçus des impacts de balle sur mon aile tribord et j'en éprouvai à la fois colère et peur. Mais j'étais surtout en colère. Puis, je repris confiance et dis :

– L'Allemand qui a fait ça n'a aucun sens de l'humour. Il y a toujours dans une soirée quelqu'un qui n'a pas d'humour. Mais il n'y a pas de quoi s'inquiéter ; il n'y a vraiment pas de quoi s'inquiéter.

Je vis alors d'autres impacts et j'eus peur. J'ouvris la verrière coulissante du cockpit, me dressai et criai :

– Bande d'imbéciles, regardez les images drôles. Regardez, il y en a une sur la queue de l'appareil. Lisez l'histoire écrite sur mon fuselage. S'il vous plaît, lisez l'histoire écrite sur mon fuselage.

Mais ils continuaient à venir sur moi. Deux par deux, ils exécutaient un entrechat au milieu de la piste de danse et, en même temps, me tiraient dessus. Les moteurs des Messerschmitt chantaient à tue-tête. « Quand me payeras-tu ? disaient les cloches de la cour d'assises », chantaient les moteurs, et pendant qu'ils chantaient, les croix noires dansaient, se balançaient, au rythme de la musique. Il y eut encore d'autres impacts sur mes ailes, sur le capot et le cockpit.

Puis soudain, il y en eut dans mon corps.

Mais je ne ressentis aucune douleur, même quand je tombai en vrille, quand les ailes de mon avion se mirent à tourner, *flip, flip, flip,* de plus en plus vite, quand le bleu du ciel et le noir de la mer se poursuivirent l'un l'autre dans une ronde incessante, jusqu'à ce qu'il n'y ait plus ni ciel ni mer, mais simplement les éclairs du soleil tandis que je tournoyais sur moi-même. Les croix noires me suivaient, cependant, dansant toujours, se tenant toujours par la main et j'entendais encore leurs moteurs chanter. « Voici une chandelle pour t'éclairer jusqu'à ton lit, voici un couperet qui te tranchera la tête », chantaient les moteurs.

Les ailes continuaient de tourner, *flip, flip, flip,* il n'y avait plus autour de moi ni ciel ni mer, seulement le soleil.

Puis il n'y eut plus que la mer. Je la voyais au-dessous de moi, je voyais les hautes vagues semblables à des chevaux blancs et je me dis : « Ce sont les chevaux blancs qui galopent sur la mer agitée. » Je sus alors que mon cerveau fonctionnait normalement à cause des chevaux blancs, à cause de la mer. Je savais qu'il ne me restait plus beaucoup de temps car la mer et les chevaux blancs se rapprochaient, les chevaux grandissaient et la mer était comme doit être une mer, elle était comme l'eau, et non pas comme une surface lisse. Un cheval blanc solitaire se précipita furieusement, le mors aux dents, la bouche écumante, faisant gicler l'écume sous ses sabots, cambrant son encolure dans sa course. Il galopait follement sur la mer, sans cavalier, incontrôlable, et je voyais que nous allions nous écraser l'un contre l'autre.

Ensuite, la température tiédit, il n'y eut plus de croix, il n'y eut plus de ciel. Mais la tiédeur était due simplement à l'absence de chaleur et de froid. J'étais assis dans un grand fauteuil de velours rouge et c'était le soir. Le vent soufflait derrière moi.

– Où suis-je? demandai-je.

– Vous êtes porté disparu. Porté disparu, présumé mort.

– Alors, je dois prévenir ma mère.

– Impossible. Vous ne pouvez utiliser ce téléphone.

– Pourquoi?

– Il ne communique qu'avec Dieu.

– Qu'est-ce que vous avez dit tout à l'heure?

– Porté disparu, présumé mort.

– Ce n'est pas vrai. C'est un mensonge. Un affreux mensonge puisque je suis là, je n'ai pas disparu. Vous essayez de me faire peur, mais vous n'y arriverez pas, je vous préviens, parce que je sais que c'est un mensonge et que je vais rejoindre mon escadrille. Vous ne pourrez pas m'arrêter, j'y vais, c'est tout. Je m'en vais, vous voyez bien que je m'en vais.

Je me levai du fauteuil rouge et me mis à courir.

– Infirmière, montrez-moi encore ces radios.

– Elles sont là, docteur.

C'était à nouveau une voix de femme et elle se rapprochait à présent.

– Vous en avez fait du bruit, la nuit dernière. Je vais vous arranger votre oreiller, sinon il va tomber par terre.

La voix était proche, elle était douce, agréable.

– J'ai disparu?

– Non, bien sûr que non. Tout va bien.

– Ils ont dit que j'avais disparu.

– Ne soyez pas bête, tout va bien.

Oh, tout le monde est bête, bête, bête, mais c'était une journée splendide et je ne voulais pas courir, mais je ne pouvais pas m'en empêcher. Je continuai à courir dans l'herbe et je ne pouvais pas m'arrêter car mes jambes me portaient sans que je parvienne à les contrôler. C'était comme si elles ne m'avaient pas appartenu. Pourtant, quand je baissais les yeux, je voyais bien qu'elles étaient à moi, que les chaussures à mes pieds étaient les miennes, que les jambes étaient attachées à mon corps. Mais elles refusaient de faire ce que je voulais. Elles continuaient à courir à travers champs et je devais les suivre. Je courus, courus, courus et, bien qu'en certains endroits le sol fût bosselé, inégal, jamais je ne trébuchai. Je passai en courant devant des arbres et des haies, puis je traversai un pré où il y avait des moutons qui cessèrent de brouter et s'enfuirent de tous côtés en me voyant arriver. À un moment, j'aperçus ma mère dans une robe gris pâle. Elle était penchée et cueillait des champignons. Quand elle me vit passer, elle leva la tête et dit :

– Mon panier est presque plein, tu ne crois pas qu'on devrait bientôt rentrer ?

Mes jambes, cependant, ne s'arrêtaient pas et je dus continuer.

Puis je distinguai la falaise devant moi et je vis comme il faisait noir au-delà. C'était une grande falaise et après, il n'y avait plus que les ténèbres, même si le soleil brillait sur le pré où je courais. La lumière du jour s'arrêtait brusquement au bord de la falaise et il n'y avait plus alors que l'obscurité. « Ce doit être là que commence la nuit », pensai-je, et une fois encore, je tentai de m'arrêter mais sans plus de succès. Mes jambes filaient de plus en plus vite, elles faisaient des enjambées de plus en plus longues et je tendis la main pour essayer de les arrêter en attrapant le tissu de mon pantalon mais je n'y parvins pas. Je m'efforçai alors de tomber. Mes jambes, cependant, étaient agiles et chaque fois que je tentais de me jeter par terre, j'atterrissais sur la pointe des pieds et je continuais à courir.

La falaise et l'obscurité se rapprochaient. Je voyais bien que si je ne m'arrêtais pas très vite, je tomberais dans le vide. Cette fois encore, j'essayai de me jeter à terre et, cette fois encore, j'atterris sur la pointe des pieds et poursuivis ma course.

J'arrivai à toute vitesse au bord du gouffre, je me précipitai droit dans l'obscurité et commençai à tomber.

Au début, ce n'était pas une obscurité totale, je voyais des arbrisseaux qui poussaient sur la face de la falaise et je tendais les mains pour essayer de les attraper dans ma chute. À plusieurs reprises, je parvins à saisir une branche, mais elle cassait à chaque fois, parce que j'étais trop lourd et que je tombais trop vite. Une fois seulement, je réussis à m'agripper des deux mains à une branche épaisse mais l'arbre ploya et j'entendis ses racines craquer une à une jusqu'à ce qu'il s'arrache tout entier, et je continuai à tomber. Puis l'obscurité s'épaissit car le soleil et la lumière du jour étaient restés dans les prés, loin au sommet de la falaise. Je gardai les yeux ouverts et scrutai les ténèbres qui viraient du gris-noir au noir, du noir au noir profond, du noir profond à une noir-ceur pure, liquide, que je pouvais toucher de mes mains mais que je ne pouvais plus voir. Je tombais toujours et l'obscurité était telle qu'il n'y avait plus rien nulle part, il était inutile de tenter quoi que ce soit, de s'inquiéter ou de réfléchir, à cause de la noir-ceur, à cause de la chute. Cela ne servait à rien.

– Vous allez mieux, ce matin. Vous allez beaucoup mieux.

C'était à nouveau la voix de la femme.

– *Hello.*

– *Hello*, nous avons cru que vous n'alliez jamais vous réveiller.

– Où suis-je?

– À Alexandrie, à l'hôpital.

– Depuis combien de temps?

– Quatre jours.

– Quelle heure est-il?

– Sept heures du matin.

– Pourquoi est-ce que je ne vois plus rien?

Je l'entendis s'approcher.

– Nous vous avons mis un bandage autour des

yeux pour quelque temps.

– Combien de temps?

– Un petit moment. Ne vous inquiétez pas. Tout
va bien. Vous avez eu beaucoup de chance, vous
savez.

Je tâtai mon visage du bout des doigts mais je n'arrivais pas à le sentir. Je sentais autre chose.

– Qu'est-ce qu'il y a sur mon visage?

Je l'entendis venir à mon chevet et sa main se
posa sur mon épaule.

– Il ne faut plus parler. Vous n'avez pas le droit de
parler. C'est mauvais pour vous. Restez tranquillement allongé et ne vous inquiétez pas, tout va bien.

J'entendis ses pas traverser la pièce, puis le bruit
de la porte qui s'ouvrait et se refermait.

– Infirmière, dis-je. Infirmière.

Mais elle était partie.

Loi n° 49-956 du 16 juillet 1949
sur les publications destinées à la jeunesse
Maquette couverture : Anne Catherine Boudet
PAO : Françoise Pham
Imprimé en Italie par L.E.G.O. Spa - Lavis (TN)
Dépôt légal : mai 2009
N° d'édition : 152954
ISBN : 978-2-07-061542-1